Crimes passionnels

Jacques Prézelin

Crimes passionnels

le hameau éditeur

AVERTISSEMENT

Tous les cas relatés dans ce livre sont authentiques et récents. Mais ils ont été librement interprétés et, parfois, les éléments réels de plusieurs d'entre eux ont été associés dans le même récit. En outre, dans le souci de ne porter préjudice à aucun de ceux dont les drames ont inspiré cet ouvrage, ni à aucun de leurs proches, tous les noms et toutes les situations sociales ont été systématiquement modifiés.

Toute ressemblance avec des événements qui se seraient déroulés dans les lieux évoqués ici, ou avec des personnes portant les noms utilisés dans ces pages, ne saurait donc être l'effet que du hasard. Elle ne pourrait, en aucun cas, impliquer la responsabilité de l'auteur ou de l'éditeur.

15, rue Servandoni 75006 Paris. Tél. : 329-05-50

ISBN : 2-7203-0042-X

I

UNE SI LONGUE PATIENCE

Au bout du chemin de terre menant à sa ferme, Hervé tourna à droite, sur la petite route goudronnée qui sinuait entre les vignes jusqu'à Champigny. Il était de bonne humeur et accéléra vigoureusement. Mais la voiture n'avait pas franchi deux cents mètres que le moteur, d'un coup, cessa de ronfler pour ne plus émettre qu'un long soupir. Cinquante mètres plus loin Hervé était arrêté. Il grogna : « Cré non, dire que je l'ai portée au garage, il n'y a pas huit jours ! » Il s'acharna une dizaine de fois sur le démarreur, mais le moteur refusa de se relancer. Hervé eut une grimace de dépit. C'était vrai qu'elle n'avait tout de même pas beaucoup de kilomètres. Il l'avait héritée de ses parents, avec la ferme, et elle datait de leur époque. Mais il l'avait toujours bichonnée comme un pur-sang. D'ailleurs, malgré ses quatorze ans, elle rutilait encore de tous ses chromes.

Il descendit, poussa sa voiture sur l'herbe du bas côté en remâchant sa déconvenue de ne pas pouvoir assister à la réunion du Véloclub. Puis il repartit à pied vers sa ferme. « Je vais revenir avec Aldo, songea-t-il. Ce diable-là saura sûrement trouver la panne. »

Il devait l'admettre, Aldo s'y entendait aussi bien en mécanique qu'en culture. Hervé n'avait jamais très bien compris d'où il venait. « D'Italie... » avait expliqué Aldo lorsqu'il s'était présenté pour la place d'ouvrier agricole qu'Hervé s'était enfin décidé à proposer, deux mois plus tôt. Il était fils de paysans calabrais, mais, faute d'emploi à la campagne, il avait travaillé trois mois en usine, chez Fiat à Turin. « Horrible ! » disait-il seulement quand il évoquait cette période. C'était pour retrouver la vie à la campagne qu'il était venu en France, deux ans auparavant, et avait fini par débarquer dans ce petit village à la limite de la Touraine et du Poitou. Grand, brun, magnifique, la peau hâlée et les yeux gris, il avait vingt-cinq ans. Treize ans de moins qu'Hervé qu'il dépassait d'une bonne tête et qui avait l'air d'un coq maigre dressé sur son pailler lorsqu'il s'adressait à lui, avec ses épaules rétrécies de vieux coureur cycliste du dimanche. Malgré cela, Hervé l'aimait bien, il avait même une sorte d'admiration de sportif pour sa prestance. Sa vie n'était plus la même depuis qu'Aldo était arrivé. Direct, gai, toujours prêt à plaisanter, l'Italien aimait la terre avec la même passion que lui : acharnée, méticuleuse, attentive, pleine de soucis et de soins. Et il avait le même geste sensuel pour écraser entre ses doigts un épi vert ou une jeune grappe de raisin et en flairer les promesses. A bien y penser, même avec leur treize ans

d'écart, Aldo était plus un copain qu'un ouvrier.
Seulement, il y avait Odette...

Odette, sa femme, dix ans de moins que lui. Et seulement trois de plus qu'Aldo... Encore plus belle qu'à dix-neuf ans, quand il l'avait épousée. Hervé ne pouvait pas empêcher son regard de s'immobiliser quelques secondes chaque fois qu'il l'apercevait, de loin, auprès de l'Italien. C'était plus fort que lui, il lui fallait les observer aussi longtemps qu'eux-mêmes ne l'avaient pas aperçu. Il retenait son souffle, l'œil fixe, comme un chien à l'arrêt. Après il se morigénait lui-même. Il était idiot ; il n'avait jamais surpris le moindre geste, le plus petit rire, qui puisse donner prise à ce besoin de soupçonner qui lui tombait dessus, comme ça, à l'improviste, dès qu'il les voyait ensemble.

Hervé vient de passer sous le noyer immense qui marque l'entrée de sa ferme. C'est un soir de juillet, il est à peine neuf heures et la lumière inonde encore le paysage. Il a parcouru sans y penser la distance qui séparait sa voiture inutile de sa maison. Il franchit le haut porche de pierres blanches dont on n'a pas refermé les portes depuis plus de vingt ans. Il aperçoit, sur sa droite, au fond, la fenêtre de la cuisine dont on a tiré les volets. Et il ralentit soudain le pas, marche sans bruit, s'approche comme un voleur de la pièce qu'on devine éclairée à travers les contrevents.

Des rires de femmes, des petits cris de joie lui parviennent de l'intérieur ; une voix mâle, par instant s'y superpose mais il ne comprend pas ce qu'elle dit. Et l'image brutalement s'impose à son esprit : Odette est dans les bras d'Aldo ; il l'embrasse, il a dû défaire son corsage, elle se laisse faire en se défendant juste ce qu'il faut pour que le plaisir dure plus longtemps ; mais elle se colle contre lui, il la... Et la musique d'un orchestre éclate, grandiose. Toute la tension d'Hervé retombe, d'un coup. Il a un petit rire pour lui-même : « Bougre de corniaud que je fais ! C'est la télé... »

Il pousse la porte, entre. Odette est assise dans le fauteuil à bascule, devant le poste qui illumine la pièce, Carole, leur fille de six ans, sur les genoux. Aldo, à califourchon sur une chaise, le menton dans les mains, est de l'autre côté de la pièce. A côté de lui, Etienne, l'aîné des deux enfants d'Hervé, l'a imité. Du haut de ses huit ans, il est comique dans sa posture de petit homme. Laura, sa vieille chienne, se relève pour venir se frotter à ses jambes en battant lentement de la queue. Odette se retourne, toute paisible : « Ben, quoi donc faire ? T'es pas allé à ton Véloclub ?... »

Alors seulement, Hervé soupire, ses muscles se relâchent, comme lorsque l'on vient d'échapper à un grand danger... Il va au buffet, prend une carafe de cristal qui vient de son arrière grand-mère :

— Aldo, un petit canon ?

— C'est pas de refus, dit l'Italien dont l'accent fait chanter drôlement toutes les expressions campagnardes qu'il pratique déjà comme sa propre langue.

— Taisez-vous ! réclame Odette. C'est un très beau film. Regarde-le donc au lieu de boire ta gnôle, grand ivrogne !

— D'accord, d'accord, marmonne Hervé tout joyeux, en baissant la voix.

Il se glisse sans bruit sur le banc, à l'extrémité de la longue table qui occupe le centre de la pièce. Il sourit. Il repense à sa voiture : « On ira la chercher demain matin, ça suffira bien. » Il n'a pas envie de ressortir. Il se dit qu'il y a longtemps qu'il n'a pas été aussi content...

Il y a maintenant quatre mois qu'Aldo est là. C'est drôle, mais Odette n'est plus la même avec lui. Au début, elle avait l'air heureuse de sa présence, elle riait à toutes ses bêtises, elle l'appelait souvent pour l'aider, quand il fallait rentrer le fourrage, déplacer des ballots de paille ou réparer une prise de courant. Mais à présent, elle est lointaine ; Hervé ne peut pas dire pourquoi, mais il lui semble qu'elle est comme fâchée contre Aldo. A table, elle ne lui parle presque plus ; quand il l'interpelle, elle répond à peine, se relève pour aller surveiller sa cuisine, ou se met à parler d'autre chose à Hervé ou à un enfant. C'est un peu comme si, tout d'un coup, elle s'était mise à le prendre en grippe. Et quand Aldo plante sur elle son regard gris comme l'aube de l'été au-dessus de la ligne de peupliers, dans le vallon, elle détourne aussitôt les yeux. S'il osait, Hervé lui demanderait si elle a appris sur Aldo des choses qui ne seraient pas plaisantes. Mais il n'ose pas. Il a peur de se faire rabrouer, lui aussi !

La vérité est qu'il n'a pas envie de savoir. Depuis le soir où il a pris le film de la télé pour une grande scène d'amour entre sa femme et l'Italien, il s'est trouvé l'air tellement bête, en se regardant dans la glace, qu'à présent, il chasse aussitôt ces idées quand elles recommencent à lui venir.

Et maintenant, lui, il est vraiment heureux qu'Aldo partage leur vie. L'Italien a beau avoir roulé sa bosse dans les grandes villes, c'est un vrai paysan, comme lui. Un qui aime fignoler l'ouvrage, qui sait que quand on voit lever l'orge, germer le maïs, bleuir la luzerne sous la pluie, ce n'est pas seulement le fruit du travail, mais tout autant celui de l'amour. Hervé le répète souvent : « La terre, c'est une femme. Pour qu'elle vous rende votre peine, il suffit pas de s'en occuper. Faut l'aimer en plus. Tous ces gars qui ne parlent qu'engrais, rendement, quintaux, et qui croient qu'il suffit d'acheter des tracteurs à crédit pour réussir, ils ont rien compris. Pour que ça pousse bien, dans les champs, faut y penser. Jour et nuit. Faut y penser même quand on dort. C'est ça le secret... »

Et il est content d'Aldo, parce qu'Aldo paraît partager ce secret avec lui. En plus, sa gaieté le revigore : Hervé n'a jamais ri aussi souvent que depuis qu'Aldo blague avec lui toute la journée. Peut-être bien qu'Odette prend ombrage de l'amitié qu'il lui porte ? C'est vrai, l'autre soir, après le dîner, il est ressorti avec l'Italien pour réparer l'attelle d'une remorque qui menaçait de casser. Odette était là, sur le pas de la porte, avec les deux gosses dans les jambes ; elle lui a jeté, à travers la cour d'un air hargneux : « T'as toujours du temps pour ton matériel, mais t'as jamais le temps de t'occuper de nous ! »

S'occuper d'eux ! Mais que fait-il d'autre, chaque jour, de quatre heures du matin à onze heures du soir ? Qu'il laboure, charrie les bidons de lait, prépare la nourriture des porcs, pour qui travaille-t-il, sinon « pour eux » ? Et s'il est content que l'argent rentre chez lui un peu mieux — à ce qu'on lui dit à la banque... — que chez beaucoup d'autres, est-ce que c'est pour lui ? Va donc voir comme il en profite ! Depuis neuf ans qu'il a « marié » Odette, il n'a pas passé deux jours à la chasse et il n'arrive même plus à aller une fois par mois aux réunions de son Véloclub à Champigny. Il a pourtant été un sacré coureur, il y a quinze ans, et il a du plaisir maintenant à s'occuper des jeunes... Mais c'est comme ça, le travail d'abord. Le travail, c'est-à-dire la famille... Odette ne peut pas le comprendre ? C'est vrai qu'il y a des moments où les femmes ne sont jamais contentes...

« S'occuper d'eux !... » De toute façon, elle voulait dire : s'occuper d'elle. Mais, justement, de ce côté-là, elle ne l'encourage pas beaucoup. Hier soir, encore... Il n'y a pas si longtemps, elle ne pouvait pas s'endormir autrement que la tête sur son bras et sa jambe passée sur son ventre. Et elle ne disait presque jamais non quand il lui prenait de faire l'amour. Tandis que ça fait maintenant des semaines qu'elle se refuse deux fois sur trois. Et la troisième... Aussi molle qu'un sac de son, oui ! Comme si elle n'était même pas là... Le reste du temps : « Je suis trop fatiguée, explique-t-elle. Vraiment ça ne me dit rien du tout. Dors donc, va, t'en as grand besoin, toi aussi... » Même les petits gestes gentils n'ont plus l'air de lui faire plaisir. Il n'y a pas six mois, souvent, quand il rentrait de ses champs, c'était elle qui venait contre lui et qui restait là, une minute, paisible. Ils regardaient les enfants et les poules en train de jouer dans la grande cour, cernée de ses trois longues rangées de bâtiments et de hangars. Juste avant de s'écarter, sur un preste : « Allez, ouste, la journée n'est pas finie ! », elle lançait toujours la même phrase qui était devenue comme un rite entre eux : « Tu veux que je te dise ? C'est bien nous les plus heureux... »

Tandis que maintenant, c'est tout juste si elle tend la joue, hâtivement, pour qu'il l'embrasse quand il arrive pour déjeuner. Et s'il lui vient l'idée de la prendre par les épaules ou de poser ses mains sur sa taille, tandis qu'elle s'affaire aux fourneaux, elle le rabroue comme une vieille femme : « Arrête donc ! Tu vois pas que tu me gênes ?... »

Hervé se dit, brusquement, qu'Odette doit être fatiguée. C'est vrai que depuis bientôt neuf ans, ils n'ont jamais quitté la ferme. Deux enfants, et tout ce travail qu'elle abat, elle aussi, de son côté, ça peut finir par vous tourner le caractère...

Du coup, un vieux rêve lui remonte à l'esprit ; comme il a bien vendu son maïs, il va lui offrir des vacances. Oui, de vraies vacances, comme celles dont on voit les publicités dans les magazines. Ils iront peut-être en Tunisie, aux Baléares, elle choisira. Pas tout de suite : on est en octobre, et il doit maintenant vendanger, labourer, semer... Mais après, ils iront, eux aussi, s'étaler sur des plages. C'est devenu possible à présent, puisqu'Aldo est là pour les bêtes... Et ils emmèneront même les enfants avec eux ! Ce sera l'hiver ? Ça ne fait rien, dans ces pays-là, c'est tout le temps l'été. Et ce sera même bien amusant de fêter Noël en maillot de bain...

Dommage qu'il ait choisi, ce matin, d'aller brûler les chaumes de sa pièce des Trois-Haies, à plus de six kilomètres de sa maison, de l'autre côté de Champigny, sans cela il filerait tout de suite raconter son projet à Odette ! Enfin, ce sera pour ce soir puisque lorsqu'il vient travailler ici, il ne rentre pas déjeuner à la ferme et casse la croûte dans la cabine de son tracteur.

Cependant, son idée lui trotte dans la tête tout le matin. Il voit Odette en maillot deux pièces, dans les vagues... Il en rit tout seul. On dirait que ça met aussi en joie la mécanique : le tracteur avance, avance, comme s'il avait un compresseur de voiture de sport. A trois heures de l'après-midi, Hervé a fini.

En traversant le village, il s'arrête chez Jérôme le mécanicien : juste une petite soudure à faire à une bride qui vient de lâcher. Mais Jérôme n'est pas là. Hervé ne trouve que son aide : « Laisse ton tracteur, ici, et reprends-le demain matin, on en profitera pour lui faire un bon réglage... » propose celui-ci.

— Et comment que je vais rentrer chez moi ? A pieds ?

— Prends mon vélo. Tu vas pas me dire que tu sais plus appuyer sur les « manivelles » ?

— Ah... C'est pas une mauvaise idée. Je te le rapporte demain, à sept heures. D'accord ?

— D'accord, champion !

Hervé pédale comme à seize ans, malgré son gros blouson fourré et ses bottes de caoutchouc noir. En passant devant sa vigne, qui est la première de ses terres qu'on aborde en venant de Champigny, il y cherche du regard Aldo qui devrait être occupé au sulfatage. Il ne le voit pas mais se rassure : « Il a dû finir plus tôt que prévu, lui aussi... »

Mais au moment de pénétrer dans sa cour, cette espèce d'angoisse épaisse, qui lui nouait parfois l'estomac quand Aldo venait d'arriver, le reprend d'un seul coup. Il ne sait pas dire pourquoi, mais la ferme est trop calme. Ça le surprend, ce n'est pas normal. Il laisse le vélo le long de la haie et s'avance à pas de loup, rasant instinctivement les murs. Il pousse la porte de la cuisine. Odette n'y est pas. Il jette un coup d'œil sur la cour, les bâtiments alentours, sans apercevoir le moindre signe de sa présence. Il s'avance plus dans la pièce. Aussitôt, jetée à la diable sur le dossier d'une chaise, il aperçoit la veste d'Aldo.

Alors, il est là, lui aussi !

Et le voici devenu fébrile comme un épagneul qui flaire une piste. Il n'a ni chagrin, ni souffrance ; même pas la moindre petite brûlure de jalousie. Il est chasseur. Tout entier habité par ce besoin physique, charnel : surprendre son gibier au gîte et le tirer !

Prestement, il décroche son fusil du râtelier où il le range, attrape une poignée de cartouches dans un tiroir, les fourre dans sa poche, en glisse deux dans le canon double de son arme, repousse le cran de sécurité... Il a son plan. Il va s'approcher de la chambre juste au ras du porche blanc qu'Aldo occupe, de l'autre côté de la cour, en contournant la ferme. La chambre possède une fenêtre qui ouvre sur les champs, vers la route. C'est par là qu'il va les surprendre sans risquer de leur donner l'éveil.

Il sort par une porte basse, longe les murs de pierres sèches, passe l'angle, tenant son fusil à deux mains, canon haut, en travers de sa poitrine. Il parvient au ras de la fenêtre et s'immobilise un instant avant d'y risquer un regard. Mais ce qu'il entend est explicite. Odette pousse des gémissements comme il ne lui en a jamais arraché ; par instant, la voix d'Aldo y mêle des mots étrangement graves... « Ce coup-ci, c'est pas la télé ! » ricane Hervé. Il connaît la pièce, la disposition des meubles, il n'a qu'à avancer le visage de dix centimètres et il les verra, sur le lit, juste devant lui. Mais il va lui falloir faire vite. Car aussitôt il devra briser un carreau d'un coup de crosse, retourner son arme et tirer. Deux coups. Et sans en manquer un. Ensuite, s'il le faut, il remettra deux cartouches neuves pour les achever. Mais il a du gros plomb de « 12 », à sanglier. A la distance où ils se trouvent, ça va les « arranger » du premier coup, sans un problème...

« Amour, amour, mon amour ! » crie Odette.

C'est comme si un coup de fouet le cinglait. Hervé voudrait se ruer dans la chambre, les écharper, les massacrer à coups de cognée, les mettre en pièces... Il avance la tête.

Ce qu'il aperçoit le déroute un peu car ils sont en travers du lit et c'est leur deux têtes qu'il distingue d'abord au premier plan. Doucement, aussi lent et silencieux que lorsqu'il allait à l'affût des ramiers, il remonte la crosse du fusil jusqu'à la hauteur de la fenêtre.

Mais, soudain, dans la même seconde, les reins d'Aldo se cambrent un peu, sa tête se redresse, son regard se pose sur la fenêtre... Et, éclatant au bout du chemin, au coin de la route, les voix d'Etienne et de Carole le hèlent de loin : « Papa... Papa... Viens voir ce qu'on a trouvé... Papa... »

Déjà les deux gamins galopent pour être plus vite près de lui. Il se retourne, passe la bretelle de son arme à l'épaule d'un geste vif, s'éloigne du mur, marche à grands pas à la rencontre de ses enfants...

Déjà Carole est devant lui. Elle tient dans les bras un petit bout de chiot, tout rouquin, d'à peine six semaines.

— Regarde, papa, c'est Léonie Dubois qui me l'a donné. C'est un vrai « setter irlandais », comme tu voulais. Il est beau, hein ? Et puis, comme la « Laura » est toute vieille et qu'elle va bientôt mourir, ça nous fera un chien tout neuf !

— Tu chassais ? demande Etienne, plutôt surpris.

— Oui... Enfin, non... Pas exactement... Figure-toi que j'avais cru voir passer un renard... Alors...

— Tu veux que je t'aide à le retrouver ? Propose Etienne tout excité.

— Non... Plus la peine... C'est foutu maintenant... Il m'a repéré...

— Dommage ! Parce que, comme tu dis, cette engeance-là, moins il y en a, mieux se portent les poules !

Hervé voudrait rire. Mais il se sent soudain glacé, les jambes sans force. Il va s'appuyer au noyer et, machinalement, retire les cartouches des culasses.

— T'es tout pâle, qu'est-ce qui t'arrive ? s'inquiète Etienne.

— Dis papa, comment on va l'appeler ? demande en même temps Carole qui ne pense qu'à son chiot...

— C'est rien, dit Hervé à son fils. J'ai dû courir un peu trop fort, tout à l'heure, dans le pré de derrière... J'ai plus tes jambes, tu sais...

— Tiens ! sourit Carole en lui tendant la barre de

chocolat de son goûter. Je l'ai pas mangé. Et de toute façon, il y en a d'autres à la maison...

Elle fait volte-face, s'élance vers le porche, la cour :

— Maman, maman, j'ai un chien tout neuf, viens voir comme il est joli ! Maman...

Son frère la rejoint en courant.

— Bon Dieu ! murmure Hervé qui, à présent, n'ose plus bouger.

Il reste immobile sous son arbre, convaincu que Carole et Etienne vont reparaître, réclamant leur mère. Une question terrible l'obsède : il se demande si Aldo l'a vu, à travers la vitre salie, lorsque son regard vide a paru se lever sur elle. Ou bien s'il a posé les yeux, plus bas, sans soupçonner qu'il était là ? S'il l'a vu, il a vu le fusil. Sa chasse va devenir un duel...

Il y a bien deux, trois minutes qu'il est là, et les enfants n'ont pas reparu. Il se décide à entrer à son tour dans la cour. Sans jeter un regard autour de lui, il va directement à la cuisine, y entre.

Odette est là, assise sur un banc de la grande table face aux enfants assis sur l'autre. Elle leur verse du chocolat fumant dans de grands bols décorés de Mickeys. Elle est calme, pas une mèche de cheveux en désordre. Elle le regarde lorsqu'il s'encadre dans la porte, à contrejour. Mais elle ne dit rien.

— Où qu'est Aldo ? demande Hervé.

A part lui, il se dit que la mâtine a eu drôlement vite fait de se rhabiller et de regagner sa cuisine. Il en est tellement stupéfié que pour un peu il se demanderait s'il ne vient pas de vivre un cauchemar ! Mais son fusil, dont la crosse lui bat la hanche, lui rappelle qu'il n'a pas rêvé...

— Aldo ? dit Odette étonnée. Tu l'as pas trouvé dans la vigne ?

Hervé est sidéré par son calme. Il se demande comment il peut être possible de vivre durant dix ans auprès d'une femme, de tout partager avec elle, et les rougeoles des marmots, et les soirées de découragement à compter les traites en retard, et le plaisir de se prendre, en surprise, à même la terre quand c'est l'été, et d'aider une vache à vêler tout aussi bien que de regarder les enfants grandir. Oui, il se demande comment on peut vivre dix années, auprès d'une femme qu'on croit la sienne et quand même ne pas la connaître !

Il ne sait plus quelle contenance prendre. Il va raccrocher son fusil, ranger les cartouches inutiles. Odette ne le questionne pas. Il croit même qu'elle regarde ailleurs.

Et voilà le plus beau : à présent, c'est Hervé qui ne sait plus quelle attitude prendre ! Devant les enfants, il a compris qu'il ne pourrait jamais rien dire. Ils sont trop heureux, trop sûrs de lui et de leur mère. Impossible de démolir ça, comme on cogne dans une fourmilière. Si son père était encore là, qu'il ait tout vu, tout compris, il ne lui donnerait pas d'autre conseil. « Pense aux gamins et ne dis rien, Hervé ; mais fous-moi le rital à la porte avant ce soir ! lui dirait le vieux. Ne t'explique pas.

Odette comprendra bien toute seule. Après... laisse lever les petits, jusqu'à ce qu'ils soient tirés d'affaire. Là, tu verras bien où t'en seras... T'es pas le premier à être trompé, mon pauvre garçon, et si Odette se redérange pas, tu seras pas le premier à t'en remettre !... Sans compter que dans ces affaires-là, souvent, c'est jamais qu'un prêté pour un rendu qu'on prend plus tard ! »

Hervé est sorti de la maison. Il est allé dans l'atelier où, justement, il devait réparer la commande d'une machine à traire. Vers sept heures et demie, alors que la nuit était tombée, Etienne est entré : « Papa, on dîne, tu viens à table ? » Il l'a suivi. Il a tout de suite vu qu'il y avait un couvert de moins :

— Aldo dîne pas là ?

— Aldo est parti, a dit Odette sans lever la tête de dessus la poêle où elle cuisait une grande omelette.

— Comment... parti ?

— Oui, explique Carole. Je suis allée le chercher dans sa chambre, il n'y était pas, il avait pris toutes ses affaires. Sur la table il y avait un mot pour toi. Tiens, le voilà...

— Un mot ? sursaute Odette qui l'ignorait et qui, brusquement, s'affole. Sa fille tend à Hervé une feuille de papier d'écolier, pliée en quatre, sur laquelle est écrit son nom.

Hervé la déplie. Ses doigts tremblent. Il lit :

« J'ai pris le vélo. Je le rendrai à Jérôme en passant, avant de prendre le car pour Poitiers. Addio, Hervé. Je reviendrai plus. »

Odette sert l'omelette, le visage impénétrable. A table, elle ne parle que deux ou trois fois, juste pour corriger un enfant qui se tient mal. Hervé ne prononce pas un mot. A huit heures, il se lève pour allumer la télé et regarder le journal. Odette dessert, fait la vaisselle, range, essuie, dénoue enfin son tablier. Il est huit heures et demie.

— Au lit, les petits, commande-t-elle. Demain il y a de l'école et le car passe à sept heures et demie.

Elle les pousse doucement vers leur chambre. Puis elle s'engage dans l'escalier pour gagner la sienne, au premier.

— Tu regardes pas la télé ? demande Hervé.

— Non, ce soir il n'y a rien de bien. Et puis demain je fais la grande lessive, rideaux, nappes, tout doit y passer. Alors il faut que je me lève tôt...

Un moment, Hervé écoute le plancher du premier craquer sous les pas de sa femme. Il ne parvient pas à se concentrer sur les images. Il a beau changer de chaîne, pas une émission ne le retient. Alors il baisse le son, très bas, et, l'œil dans le vague, reste immobile dans le fauteuil. Au-dessus de lui, il n'y a plus le moindre bruit...

Que peut-elle bien penser de son côté ?

... Sur le buffet, entre la carafe en cristal et une coupe à fruits qui ressemble à un gros coquillage vert et blanc, Odette a installé les photos de la famille. Etienne et Carole, en couleur, avec leur classe, il y a un an ; les parents d'Hervé, quand ils n'avaient pas quarante ans. Sa mère, comme cachée derrière eux. Et dans un cadre plus beau que les autres, celle de son mariage.

Hervé l'a prise et la regarde. Il porte un beau costume trois pièces, en flanelle bleue à rayures blanches. Un nœud papillon, une chemise blanche qui le serre au cou. Il a tout de même de l'allure, bien droit, plus fier encore que lorsqu'il posait, la main sur son guidon, après avoir gagné une course. Ce jour-là, il a même réussi à faire tenir bien à plat l'épi qui redresse toujours ses cheveux clairs, au-dessus du front. Visage maigre, taillé à coups de serpe, menton fort — « volontaire », se répète-t-il depuis son enfance, avec orgueil. Les yeux sont petits, bleus, enfoncés sous l'arc des orbites aux sourcils clairsemés. Il a vingt-neuf ans, là-dessus, mais aujourd'hui, neuf ans après, il ne se sent pas différent. Deux rides, nettes, profondes, tirent à présent les coins de sa bouche, mais c'est la seule marque du temps.

Sur la photo, il est debout, le visage légèrement incliné vers Odette qui est assise à son côté. Et c'est elle qui regarde bien droit l'objectif, avec son sourire magnifique qui faisait chavirer tous les hommes.

Un drôle de beau jour, tout de même que leur mariage ! Hervé y est content de lui. A vingt-neuf ans, il voit enfin la vie s'ouvrir, avec des promesses plein les bras.

A Champigny, tout le monde le dit : « Le gars Hervé, s'il est heureux, ça n'est que justice, parce qu'il l'a bien mérité. Des courageux comme lui, il n'y en a plus guère de nos jours. Après le malheur qu'il a eu, on en sait plus d'un qui auraient tout laissé tomber... »

Courageux ? Lui, il sait qu'il a seulement fait les choses comme il le voulait...

Il avait vingt ans et il était soldat, à Tarbes, dans les parachutistes, quand un dimanche son colonel l'a convoqué. Ses parents venaient d'avoir un accident de car. Eux qui ne voyageaient jamais avaient eu l'idée d'aller passer la journée aux Sables d'Olonnes, avec un groupe. Et au retour... Ils étaient grièvement blessés, à l'hôpital de Niort.

Le temps qu'il arrive, ils étaient morts.

Hervé était leur seul fils. On l'a libéré peu après pour qu'il puisse s'occuper de leur ferme que des voisins avaient prise en main, jusqu'à son retour. Dans le pays, on a cru qu'il allait la vendre. Mais pas du tout. Tout seul, il s'est mis au travail. Il a découvert que son père qu'il admirait tant, avait laissé les choses vieillir. Il continuait à travailler comme on le lui avait appris dans sa jeunesse, avant la guerre. Mais on était en 1951, plus en 38 !

Année après année, Hervé a tout refait, moderne, automatique, mécanique, net. L'étable des vaches, les machines, le matériel. L'été, il engageait du monde, mais le reste du temps, il travaillait seul, quinze heures par jour dans ses champs, qu'il vente ou neige. Tout le pays connaissait ses horaires. Avant le jour, quand on entendait ronfler un tracteur, on savait qu'il était cinq heures et qu'il commençait sa journée. Et ça faisait toujours un peu honte aux autres qui étaient encore dans leur lit.

« Voilà le champion qui embauche, murmuraient les femmes en donnant un coup de coude à leurs hommes. Celui-là, on peut pas dire, mais il veut toutes les courses pour lui !... »

C'était sa grande distraction : le vélo. Il s'y était mis à seize ans et, depuis, il ne manquait jamais une compétition d'amateur à cinquante kilomètres à la ronde. Il était hargneux, acharné et, au moment du dernier sprint, il trouvait toujours un restant de force pour coiffer les autres sur la ligne d'arrivée. Un copain lui avait dit un jour : « C'est pas croyable ce que tu peux avoir l'air méchant dans ces moments-là, Hervé. T'es pratiquement méconnaissable... »

Il avait haussé les épaules : « Je sais pas... Je peux pas supporter de pas gagner. »

Et il aimait aussi la chasse. Il y passait les jours d'hiver où tout était trop gelé ou détrempé pour qu'il puisse aller dans ses champs. A part cela, jamais de vacances, de bals, de chopines dans les cafés de Champigny. Quant aux filles, il verrait plus tard, quand tout serait installé chez lui.

Il y avait mis des années, mais il y était arrivé. A vingt-neuf ans, de la cuisine à l'établi de son atelier, tout était rénové, briqué, comme un trois-mâts-école. Et c'est alors, que chez le boulanger, il avait aperçu Odette.

Elle était jolie comme ça ne devrait pas être permis ! Brune, le visage ovale, les yeux noirs, les lèvres charnues, roses, à donner de l'appétit à un presque mort ! Et une allure ! Elle avait beau être la troisième fille d'une ouvrière de la laiterie qui habitait une vieille masure, au bord du terrain communal, Odette avait l'air d'une princesse. Sa mère l'avait fait entrer à l'usine de conserves qui venait de se construire aux environs, mais on se doutait bien qu'Odette n'y resterait pas. Avec son petit nez déluré, et ce sourire qu'elle décochait d'un air candide en sachant qu'il rendait tous les garçons fous, elle avait cette grâce inouïe qui ouvre toutes les portes de la vie. Les bonnes aussi bien que les mauvaises... Avec elle, on ne pouvait encore rien dire. On l'avait bien vue, depuis trois ans, avec quelques jeunes gens du coin. Mais si elle était plus charmante, elle ne se tenait pas, en fin de compte, plus mal que les autres. Et les garçons se répétaient, entre eux, que malgré ses grands airs d'enjôleuse, c'était pas si facile que ça de l'avoir !...

Hervé se souvenait d'elle, à dix ans, quand il était revenu de l'armée. Depuis, il n'avait jamais remarqué qu'elle grandissait. Mais ce matin-là, chez le boulanger, en redécouvrant qui elle était, il avait tout de suite décidé que c'était elle qu'il voulait mettre chez lui. Un peu comme les maçons plantent un sapin à la cheminée quand ils ont achevé les murs d'une maison, elle serait la couronne qu'il poserait sur ses neuf années de travail fou.

Odette qui le connaissait, elle, qui savait quel homme il était, et qui, dans le secret de son cœur, ne rêvait pas des feux de la ville mais d'une belle demeure chaude avec des enfants dedans, avait été bien heureuse quand elle avait compris qu'il voulait l'épouser.

A ce moment-là, elle ne demandait rien d'autre à la vie : le moyen d'oublier qu'elle avait grandi dans des robes rapiécées, des vieux jeans de mauvaise toile, et au milieu de quatre murs où elle n'osait pas faire entrer ses copines tellement ça suait la pauvreté.

Vrai, qu'au début, elle avait été heureuse. La preuve c'est qu'en deux mois, elle savait tout faire à la ferme, même conduire l'Aronde et le tracteur. Seul le bonheur ouvre ainsi l'esprit aux filles ! La seule chose qu'elle n'avait pas aimé, c'était la chasse. Du coup, Hervé y était allé de moins en moins... Et, au début, quelle amoureuse ! Dès qu'Hervé la serrait contre lui, l'envie lui rosissait la gorge...

Parfois, le soir, quand ils venaient de faire l'amour et qu'Hervé n'en finissait pas de la regarder en répétant : « Ce que t'es jolie... », des larmes emplissaient les yeux d'Odette. Chaque fois il s'inquiétait : « Qu'est-ce que t'as ? T'es pas bien ? » « Mais non, disait-elle, c'est tout le contraire. Je suis trop contente d'être ici. » Mais elle détournait vite son regard et sautait soudain à bas du lit en éclatant de rire : « Tu sais pas quoi, Hervé ? lançait-elle. J'ai une faim de loup ! » Elle remontait deux minutes après avec du saucisson, du pain, du fromage, un pichet de vin rouge de leur vigne. A ne pas croire : une fois, à quatre heures du matin la sonnerie du réveil les avait surpris en plein pique-nique !

Une semaine avant leur noce, elle avait mis les

choses au point : « Tu sais, je suis sortie avec deux garçons. Pas un de plus. Je te le dis parce que faut que tu le saches... »

— Bah, avait dit Hervé, on est en 1960, ils en font bien d'autres, à Paris, tous ces « yéyés »... C'est comme ça, maintenant et c'est peut-être pas plus mal que de se marier sans rien connaître...

— Mais à partir de maintenant, c'est différent. Je serai ta femme. Je te ferai jamais honte !

Jamais honte !... Etienne était né, Carole était née, Odette s'était toute donnée à eux. Un peu comme si cette folie d'aimer qu'elle avait avant leur venue s'étant trouvée accomplie, n'avait plus eu de raison d'être.

Elle s'était mise à rabrouer Hervé — pour des détails auxquels il ne comprenait rien ! Elle lui reprochait de conduire trop vite et de lui faire peur — alors qu'au début elle était en émerveillement devant son habileté au volant. De laisser traîner ses briquets et ses cigarettes — alors qu'avant, elle les rangeait amoureusement sur la télé. De salir trop ses blue-jeans, avec le cambouis de ses machines — alors qu'au début elle était toute fière d'exhiber ses chemises impeccables en expliquant : « C'est facile, il faut seulement brosser dur !... »

« La vie qui passe », pensait Hervé presque attendri de constater qu'Odette se mettait lentement à lui parler comme sa mère parlait à son père, quand il était gosse...

Enfin, ils avaient tout de même été bien heureux,

jusqu'à ce jour où il venait de découvrir qu'il n'avait jamais su qui était sa femme...

Il revoit soudain la scène qu'il a surprise, six heures auparavant, dans la chambre d'Aldo. Il entend Odette crier : « Amour, amour, mon amour !... » de cette voix sauvage qu'il ne lui a jamais connue. Le plaisir, à ce point-là, c'est tout de même comme une folie... Brutalement, une bouffée d'envie lui brûle le ventre. Un désir terrible, violent, comme il n'en a jamais connu, de posséder Odette juqu'à l'étouffer, la briser, la détruire... Il n'a même pas conscience de monter l'escalier, d'ouvrir la porte de la chambre. Il s'arrête.

La lampe de chevet à l'abat-jour rose qu'elle aime tant, est allumée. Odette, le visage dans l'oreiller, à demie tournée sur le ventre, étalée de tout son long, dort comme une bête épuisée.

« Une bête repue ! » pense haineusement Hervé.

Il referme la porte, redescend.

« La salope : Je la tuerai un jour », se jure-t-il.

Il trouve le cadre qu'il avait déposé machinalement sur le coin de la table. Il va le remettre à sa place, sur le buffet.

Odette était vraiment jolie sous son petit voile de mariée qui faisait comme un soleil blanc autour de son sourire...

... Aujourd'hui, c'est le sourire de Carole qui éclate sous la brume du tulle. Elle a vingt ans. Elle vient de se marier, le matin, avec un médecin qui va l'emmener vivre à Toulouse. Derrière elle, Etienne, en tenue de sous-officier, a fait l'émerveillement de tout le pays.

Ça, ils ont bien « levé » les deux petits ! Aucun d'eux ne reprendra la ferme, mais vrai de vrai, c'est pas plus mal. Pour ce que ça rapporte, à présent, la culture ! Rien que des dettes. Eux, ils ont suivi leurs études. Carole est devenue infirmière — et c'est dans son hôpital, à Tours, qu'elle a connu son mari. Etienne a devancé l'appel, à dix-huit ans. Tout de suite bien noté, courageux. L'année prochaine, il va aller à Saint-Maixent. Dans trois ans, il sera officier. Voilà au moins deux vies qui poussent dru !

Et voilà aussi une jolie noce !

Bien qu'on soit en mai, qu'il fasse beau, Hervé n'a pas voulu qu'on dresse des tréteaux dans la cour, comme font les autres. Il a tenu à ce que tout se passe au restaurant — chez « Mélanie », à trois kilomètres de Champigny, une auberge dont la cuisine est célèbre jusqu'à Paris. Et il a invité, en plus des cousins éloignés, ses vieux copains du Véloclub. Mais maintenant, tout le monde est reparti. Etienne a filé le premier, Carole s'en va. Elle a une larme au coin de l'œil au moment d'embrasser sa mère. Elle l'écrase d'un doigt furtif, en s'efforçant de rire, lorsqu'elle tend ses joues à son père : « Au revoir, papa... Et tâche d'être un peu plus bavard ! Sans ça maman va finir par te laisser tout seul !! »

Tout seul ! Ça ne fera pas beaucoup de différence. Voilà quinze ans qu'il vit tout seul. Bien sûr, il y a eu les enfants, avec lesquels il a passé beaucoup de temps, les premières années. Mais les enfants grandissent trop vite. A peine le temps de s'y attacher et déjà ils sont quelqu'un d'autre. A quinze ans, Etienne, Carole, étaient toujours aussi gentils. Mais pour Hervé, ils étaient devenus des étrangers. Il ne comprenait pas la moitié de leurs conversations !

Non, le vrai compagnon de sa vie, ça a été ce setter irlandais que Carole avait rapporté le jour où... Parce qu'il faut dire que depuis ce jour-là, Hervé est redevenu le chasseur le plus ardent du canton. Son chien et lui, on les a vus battre les fûtaies et les bois du début à la fin de l'année. « Je cherche les renards, faut les détruire jusqu'au dernier ! » expliquait-il quand il rencontrait les gendarmes, lorsque la chasse était fermée. Et les gendarmes diplomates, n'avaient jamais eu le mauvais goût de vérifier le contenu de sa gibecière.

Evidemment, à courir les champs on y fait moins bien pousser l'orge qu'à les labourer. Par chance, Hervé a eu Henri. Un ouvrier des environs, de douze ans son aîné, qui est venu remplacer Aldo. Sauf que lui n'habite pas la ferme, il rentre chez lui tous les soirs. De toute façon, c'était pas le genre à tourner autour d'Odette : petit, large, râblé, moustachu, vieux garçon, laid comme un des diables sculptés sur les colonnes de l'église, il aurait, comme sa mère disait à Hervé en riant, « plus vite fait tourner le lait que la tête à une fille ! » Le contraire d'Aldo, c'était certain, et aussi peu loquace que l'Italien était bavard ! Mais jamais fatigué de travailler, gentil comme un vrai grand-père avec les petits, et toujours prompt à payer de sa personne pour rendre service.

Aujourd'hui, encore, il est venu à la messe de mariage, mais il s'est esquivé à la sortie : il fallait quelqu'un à la ferme pour que les bêtes n'y soient pas seules...

Seulement, à présent, lui qui n'a jamais été jeune, est vraiment vieux : soixante-cinq ans. Hervé sait bien que dans les journaux on dit que de nos jours, c'est devenu une deuxième jeunesse. Mais pour un paysan comme Henri, qui gardait déjà les vaches à cinq ans, ça fait tout de même un sacré long bout de chemin et d'ornières qu'il a fallu traverser. Henri, bientôt, va s'en aller. Hervé le sait. Son setter est déjà parti, lui, voilà trois mois. Mort de vieillesse : quinze ans, c'est une assez longue vie pour un chien.

Est-ce aussi une assez longue vie pour la haine ?

Ce n'est pas ce que ressent Hervé. Aujourd'hui, il hait Odette encore plus fort que lorsqu'il a failli la tuer dans cette chambre qu'occupait Aldo et où personne n'est plus jamais retourné depuis.

Quinze ans, et pas un soir il ne s'est couché sans avoir un mouvement de dégoût envers sa femme. Une espèce de petite nausée, insinueuse, incontrôlable, qui lui venait au lieu du désir. Un mois, deux peut-être, après le départ d'Aldo, le sommeil a malgré eux, mêlé leurs jambes, rapproché leurs corps dans la tiédeur des draps. Quand Hervé a commencé d'en prendre conscience, il a senti la tête d'Odette sur son épaule, ses lèvres posées sur sa peau. Encore à demi endormi, il a retrouvé instinctivement les gestes de leurs premières habitudes pour la serrer sur sa poitrine. Elle dormait si profondément qu'elle s'est abandonnée, inerte. Et puis ses lèvres ont bougé. Elle a dit, très bas, à ne pouvoir qu'à peine l'entendre : « Amour, amour, mon... » Hervé s'est relevé d'un seul coup. Dans le rêve d'Odette, Aldo se dressait encore devant lui. Il a rejeté sa femme comme on se défait d'un furet fou qui vous a saisi la main pour la saigner. Elle a ouvert des yeux de démente : « Qu'est-ce qu'il y a ?... Qu'est-ce qui t'arrive ?... Mais enfin, Hervé... »

Il est sorti de la pièce, suffoquant. Trente secondes de plus en face d'elle et il l'étranglait... Il est allé finir sa nuit dans une autre chambre, qui n'avait pas été ouverte depuis la guerre. Le lendemain soir, il y est resté. Désormais il a dormi là. Odette ne lui a rien demandé. Elle a simplement pris l'habitude d'y faire son lit et d'y mettre ses affaires en ordre, chaque matin...

A partir de cette nuit-là, ils ne se sont presque plus parlé. Sauf pour le travail de la ferme et quand il fallait régler une question, pour les enfants. Odette s'est bien occupée d'eux. Il lui est même arrivé de rire, quand ils étaient seuls, tous les trois...

Mais, ce soir, cette vie se termine. Odette vient de monter dans « sa » chambre. Hervé est allé voir Henri qui achevait de traire les vaches. Puis il est rentré et a remis ses vêtements de travail.

Il est à peine huit heures du soir, le jour est haut, l'air plein de douceur. Hervé se dit qu'il va faire un dernier tour, jusqu'au petit bois qui est à un quart d'heure de là. Par réflexe, il prend son fusil. Chemin faisant, il se sent las. Il fait demi-tour, rentre à la ferme. Dans la cuisine, il n'y a qu'Henri, en train de manger sa soupe à petits gestes doux et lents. « Odette n'est pas là ? »

— Non, elle doit être quelque part, dans la cour, répond-t-il avec un geste évasif.

Hervé sort. Parcourt les hangars, ne trouve pas Odette. Mais en passant devant la pièce qui est restée « la chambre d'Aldo », il aperçoit la porte ouverte. Il y va. Odette est au milieu, avec son beau tailleur noir, acheté exprès pour le mariage. Elle fait face à Hervé et le regarde entrer sans bouger.

A-t-elle vieilli ? Hervé ne le sait pas, mais ce qu'il voit c'est que son visage a changé. Les joues se sont un peu alourdies, les paupières se sont ternies, fendillées. Odette ne se ressemble presque plus. Elle commence à ressembler à sa mère.

— Je vais m'en aller, annonce-t-elle d'une voix sans timbre.

— Le retrouver, peut-être bien ! rugit Hervé reporté quinze ans en arrière.

— Mon pauvre Hervé, soupire Odette. J'ai jamais su plus que toi ce qu'il avait pu devenir... Non, je vais m'en aller, parce que je n'ai plus rien à faire avec toi. J'ai élevé les petits, c'est bien comme ça que tu voulais, non ? A présent, je vais te débarrasser. Ça fait si longtemps que tu m'en veux, je vois bien que ça ne te passera jamais. Alors, aussi bien pour toi que pour moi...

— Mais, où que tu vas ?

— Je sais pas. Je vais aller chez ma sœur, celle qui est mariée à Tours. Et puis je vais chercher du travail...

— T'as quelqu'un en vue, toi, c'est sûr !

— T'es fou, ou quoi ? J'ai pas mis le nez hors d'ici depuis vingt-trois ans ! Comment que tu voudrais que j'aie quelqu'un ?...

— C'est peut-être pas l'envie qui t'en manque !

— Je n'ai que quarante-trois ans, tu sais ; je dis pas que je referai pas ma vie si jamais...

— Tu vois, tu l'avoues déjà à moitié. T'es vraiment qu'une sale putain !

Odette a blémi sous l'insulte. Elle se redresse, le défie :

— Redis jamais ça ! Je l'ai jamais permis à personne et tu seras sûrement pas le premier ! Redis jamais ça ou je te calotte à t'arracher la tête !

Elle lève la main, menaçante. Hervé saisit son poignet, mais Odette se débat et la bretelle du fusil qu'il avait gardé à l'épaule, glisse dans le pli de son coude. L'arme le gêne, s'empêtre dans ses jambes, il lâche Odette pour la prendre à la main. Mais sa femme qui a été si passive depuis quinze ans, déborde soudain de fureur. Cette insulte qu'il vient de lui jeter l'outrage plus qu'aucune cruauté. Parce qu'elle a usé toute sa vie à ne justement jamais la mériter. Et qu'Aldo, si ç'a été un coup de folie, c'était une folie d'amour. Alors, elle explose, sans retenue, cravachée par l'injustice qui lui est faite...

— Je m'en vais, hurle-t-elle, parce que je n'en peux plus de te voir, de t'entendre, de te sentir, de te supporter. T'es vieux, t'es moche, t'es méchant, t'es petit...

— Ah ! Ton Aldo, lui, il était grand !

— Oui il était grand ! Et gentil, et doux ! Il était tout ce que t'étais pas, tout ce que tu seras jamais...

— Tu vois bien que t'es qu'une sale putain ! répète Hervé.

La main d'Odette s'abat sur sa joue. Deux fois, en aller-retour aussi vif que des coups de griffes de chat. Elle crie : « Salaud, salaud, je t'interdis... »

Hervé recule d'un pas, braque le canon de son fusil vers sa poitrine. Mais la colère enlève toute peur à Odette. Elle est intrépide, outragée. Elle est superbe :

— Tu crois que t'es le plus fort parce que t'es armé ? Pauvre type ! Tu penses pas que j'ai peur de mourir ? Ça fait déjà quinze ans que je suis morte. Et si tu tiens à le savoir, c'est même ici que je suis morte, dans cette chambre... Le soir où j'ai compris qu'Aldo était parti. Parce que lui, il savait aimer. Pas comme toi qu'avait jamais été capable...

— Capable de quoi ? persifle Hervé, dont les mâchoires se crispent à lui broyer les dents.

Odette le toise, se redresse, le domine de sa splendeur soudain retrouvée :

« De me faire ce qu'on appelle l'amour, si tu veux le savoir !... »

... « Arrête Hervé ! » Le vieil Henri vient de surgir dans la chambre, bras tendus vers le canon du fusil.

A l'instant où il va le détourner, le coup part. Les yeux d'Odette s'agrandissent, comme sous une énorme surprise. Du sang jaillit de sa poitrine, noie son corsage. Elle tombe en arrière sur le lit.

« Va chercher les gendarmes, dit Hervé à Henri. Je leur expliquerai pourquoi que j'ai attendu quinze ans... »

— Bon Dieu, Hervé, pourquoi que t'as fait ça ! Mais pourquoi ! bredouille Henri dont les mains tremblent. J'avais bien vu que tu lui en voulais toujours, mais tout de même, après si longtemps...

— Va chercher les gendarmes, s'obstine Hervé.

— Mais tu sais bien que ton téléphone est en panne depuis hier matin...

— Va les chercher, je te dis. Et ramène-les ici.

— Tu vas pas...

« Non » fait Hervé d'un signe de tête. Son calme est si impressionnant qu'Henri s'éloigne. Il a décidé d'aller téléphoner aux gendarmes depuis la ferme la plus proche qui n'est guère qu'à huit cents mètres...

Lorsqu'il est revenu, une heure après, avec eux, il a trouvé la petite pièce vide. Il s'est rendu dans la cuisine mais tout y était encore tel qu'il l'avait laissé. Il est monté dans la chambre d'Odette, au premier. Hervé était là.

Il avait étendu sa femme sur le lit, clos ses yeux, soigneusement lissé ses cheveux, tiré ses vêtements sans un pli, croisé ses doigts sur sa poitrine et glissé dessous, pour dissimuler la plaie béante, une belle serviette immaculée. Lui, il avait remis son costume de fête pour s'étendre auprès d'elle. Et il s'était aussi tiré une cartouche en plein cœur.

Sur la table de nuit, il avait placé sous la petite lampe rose, allumée, leur photo de mariage.

« Vous me croirez pas, disait Henri aux villageois, le lendemain, mais il avait plus la même tête, crispée, méchante qu'on lui voyait depuis des années. Tout le contraire même : c'est terrible à dire, mais depuis quinze ans que j'étais chez lui, c'est bien la première fois que j'ai eu l'impression de le voir sourire... »

II

LES BRUITS DE LA VIE

Depuis qu'elle habitait au quinzième de « sa » tour, Denise s'était inventée une nouvelle manière de mesurer le temps ; elle écoutait les ascenseurs.

Comme elle ne travaillait pas — elle pouvait se le permettre ! Marcel, son mari, avait une assez belle situation pour cela... — et comme, à quarante-quatre ans passés, elle avait acquis une imbattable vélocité dans l'accomplissement de ses tâches ménagères, chaque jour à treize heures, elle se retrouvait totalement libre de son temps. Heureuse dans son logement suspendu au-dessus de la vie, elle en sortait peu et passait des après-midi de retraitée : tricot, télé, couture (elle confectionnait elle-même toutes ses robes), lecture l'occupaient jusqu'à la préparation du dîner. Les bruits de la ville qui montaient par vagues, jusqu'à elle, ne la concernaient pas, ils venaient d'un autre univers. Les seuls sons qui lui appartenaient vraiment, étaient ceux de son immeuble.

Le soir, ils étaient si nombreux qu'ils devenaient

aussi indéchiffrables qu'une partition de musique concrète ! Mais dans la journée où les trois quarts des habitants étaient absents, ils étaient parfaitement rythmés. Denise avait appris à les distinguer, repérer leur origine, identifier, même, leurs auteurs. Parmi ces sons, ceux qui la captivaient le mieux étaient les chuintements, ponctués du déclic des arrêts, qu'émettaient les ascenseurs. Et bien entendu, spécialement celui des quatre élévateurs qui desservaient sa cage d'escalier. Certains de leurs voyages lui étaient devenus si familiers que lorsqu'elle en percevait le bruit, Denise pouvait dire, à coup sûr, quelle heure il était.

Elle avait répertorié parmi les occupants des quatre-vingt-deux logements de sa tour, ceux qui en occupaient le même quart vertical qu'elle. Et parmi ces derniers, elle pouvait désigner, au moins par le numéro de leur étage, ceux qui sortaient et rentraient chez eux avec des ponctualités d'horloge parlante, ceux qui ne s'absentaient que l'après-midi, ceux qui revenaient les premiers de leur bureau, le soir.

Seul l'ouragan qui, de seize heures trente à dix-sept heures quarante-cinq, marquait le retour des enfants, lui demeurait obstinément inintelligible.

De la sorte, les trois voisins de son étage étaient pratiquement devenus, sans le savoir, ses intimes — et bien qu'elle ne leur eût jamais adressé la parole.

La première de retour, chaque soir vers dix-sept heures trente-cinq, était celle qu'elle aimait le moins : une petite femme brune, aguichante, maquillée et habillée de façon tapageuse, qui n'habitait là que depuis deux mois. Elle avait deux petites filles de sept, huit ans, beaucoup plus discrètes que leur mère, elles !

Denise n'avait pas tardé à apprendre (par une caissière de la grande surface du rez-de-chaussée avec laquelle elle bavardait chaque fois qu'elle faisait ses courses), que sa voisine était en instance de divorce. La trentaine encore juvénile, avec cette ombre de maturité qui rend les femmes si attirantes à cet âge-là, elle vivait seule avec ses enfants. « Enfin, seule... Elle ne doit pas l'être tous les jours ! avait suggéré la caissière. Des fois, je la vois faire des courses, l'après-midi, avec des hommes qui n'ont pas l'air d'être seulement venus pour porter ses paquets ! Mais c'est son affaire, hein, chère Madame ? Chacun est libre... »

Denise avait opiné.

Les jours suivants elle avait tout de même écouté plus attentivement les ascenseurs de l'après-midi. Mais jusqu'à présent, elle n'avait jamais surpris, par le petit œilleton de surveillance planté dans sa porte d'entrée, sa voisine ramenant le moindre amant chez elle, à l'heure où ses gosses devaient s'échiner à l'école sur leurs tables de multiplication.

« Chacun est peut-être libre, songeait Denise, mais il y en a tout de même qui le sont un peu trop ! »

Au demeurant, Denise avait conscience que son manège était d'une totale indiscrétion. Elle en avait même un peu honte. Mais comme elle n'en tirait pas d'autre parti que de s'en amuser toute seule (et qu'elle y prenait vraiment beaucoup de plaisir !) elle s'en absolvait volontiers.

Et elle était tout de même allée, un matin où elle était sûre d'être seule à son étage, déchiffrer la carte de visite épinglée sur la porte de la jeune femme. « Muriel Appert, esthéticienne », avait-elle lu, au-dessus de l'ancienne adresse recouverte d'un gros trait de feutre vert. Voilà donc pourquoi elle était toujours maquillée comme une photo de publicité, avait réalisé Denise...

A dix-huit heures dix survenait ensuite un couple de fonctionnaires inséparable, d'une cinquantaine d'années, qui habitait l'appartement juste à côté du sien. Pas d'enfant, pas de bruit, pas de surprise, il représentait l'archétype du voisinage idéal. Sa ponctualité était si exemplaire que si, par mégarde, Denise avait omis de vérifier l'heure de son réveil, à la télé, le soir, c'était sur son ascenseur du matin (7 h 55 à trente secondes près) qu'elle le réglait, en prenant son café au lait.

Dans le dernier appartement, de l'autre côté du vaste palier, vivait un jeune homme seul dont elle s'était vite désintéressée : il ne recevait jamais personne, allait et venait, sans horaires, et semblait même ne pas différencier le jour de la nuit ! Même la gardienne ne savait pas ce qu'il pouvait faire. Et ce n'était pas sa façon d'être immuablement vêtu de jeans et de blousons qui pouvait fournir une indication...

LES BRUITS DE LA VIE

Entre dix-neuf heures quinze et dix-neuf heures vingt bruissait l'ascenseur de Marcel. En principe, car il lui arrivait d'être retenu à son bureau ; mais il téléphonait toujours pour la prévenir. Et il était là, ensuite, à l'heure annoncée. Il ne serait pas venu à l'esprit de Denise de récriminer : elle avait toujours vécu comme l'ombre fidèle mais tutélaire de son mari, et elle s'en félicitait. Tous deux avaient le même âge et avaient grandi ensemble dans le même village d'Anjou. A seize ans, un inutile CAP de couturière en poche, elle était entrée comme employée d'un pressing ultra-moderne de Saumur ; Marcel, qui n'avait pas de CAP du tout, avait trouvé une place de commis dans une épicerie de luxe. A vingt ans, Denise était toujours dans sa teinturerie automatique. Marcel, mettant à profit les passages du représentant d'une marque de vin « courant » connue, s'y était fait engager comme démarcheur. A vingt et un ans, de retour du service militaire, il avait proposé à Denise de l'épouser et de le suivre à Vendôme où il venait d'être nommé par son entreprise.

Denise n'avait pas hésité : des garçons qui lui avaient tourné autour depuis ses quatorze ans, Marcel était le seul à lui avoir laissé le goût de recommencer. Il semblait, lui aussi, avoir conservé une certaine nostalgie de leurs frustes caresses d'adolescents, et Denise en avait été émue.

Elle était mince, élancée, brune, mais elle savait depuis toujours qu'elle n'était pas vraiment jolie. Brun, aussi, mais tout bouclé, grand, plutôt maigre,

Marcel avait par dessus tout un air malin et une vivacité de mouvement qui auguraient bien de son avenir. En plus, il ne déplaisait pas aux filles, ses amies l'avaient souvent dit à Denise. S'il avait eu peu d'aventures, c'était parce qu'il était timide. « Il est gentil, mais quand on est seule avec lui, on ne sait plus très bien ce qu'il veut », avaient aussi confié ses copines à Denise...

Celle-ci avait donc trois raisons pour répondre un « oui » sans réticence à la proposition de Marcel : il lui plaisait, elle pressentait qu'il saurait se débrouiller dans la vie — et elle allait faire envie aux autres filles !

Bien des passions durables n'ont pas de meilleurs fondements.

Vingt-trois ans plus tard, Denise pouvait toujours se féliciter de son choix.

Promu responsable de sa firme pour les départements du Centre, Marcel était venu s'installer à Saint-Etienne où il vivait avec elle depuis un an. Grâce à ce changement, et après plus de vingt années usées dans son vieux logement de Vendôme, aux murs historiques mais de guingois, aux escaliers épuisants, aux plafonds écaillés et aux cloisons suant le salpêtre, Denise avait réalisé son rêve : habiter cet appartement ultra-moderne où elle se sentait, enfin, différente de la foule puisqu'elle en était isolée. Et il ne fallait pas confondre : « sa » tour n'avait rien de commun avec une HLM aux couloirs tapissés de graffitis. Ici, c'était un immeuble de standing. Avec gardien en cravate, vide-ordures et faux acajou dans les cabines d'ascenseur. Denise rêvait de ce style de demeure depuis une visite rendue, à douze ans, à une de ses tantes dans une banlieue toute neuve d'Angers... Mais finalement, elle ne regrettait pas d'avoir dû attendre aussi longtemps : « sa » tour était beaucoup plus chic que l'immeuble à présent démodé, de sa tante. Et elle était trois fois plus haute...

Cet après-midi-là, pourtant, Denise se sentait morose. Marcel lui avait téléphoné, à deux heures, qu'il serait en retard pour dîner. « Pas avant neuf heures... Un rendez-vous très important avec les acheteurs d'une chaîne de supermarchés... A Lyon, oui, dans l'après-midi... Mais elle savait bien qu'avec la circulation de la fin de journée... »

Ce qu'il avait pu changer, Marcel, depuis vingt ans ! Il avait pris des épaules, de l'autorité. Elégant jusqu'à la manie, il s'était frotté au luxe des grands restaurants et y avait pris goût. Denise, elle, s'était au contraire encore amenuisée. Parfois, lorsqu'elle se déshabillait devant lui, elle rougissait comme une pucelle pour lui demander : « Vraiment, tu ne me trouves pas un peu... mince ? » « Mais non, répliquait Marcel gentil ; de toute façon, c'est comme ça que tu me plais ! Ne t'inquiètes donc pas... » Au demeurant, il avait toujours l'air aussi content de faire l'amour avec elle, et elle ne se souvenait pas de l'avoir jamais agacé sans recevoir, aussitôt, la réplique. Au contraire sa nature déjà chaleureuse au début de leur mariage, avait paru s'épanouir en même temps que sa réussite dans son métier... Denise n'avait jamais eu d'enfant, mais c'était plutôt bien tombé. Marcel n'avait eu de souci que pour son travail, donc pour lui-même. Et Denise n'avait eu de souci que pour Marcel. Il lui avait tenu lieu d'enfant. Si elle avait cessé de travailler à l'extérieur dès qu'elle avait été mariée, ce n'était pas seulement parce qu'elle détestait son pressing — et toutes les autres places éventuelles du même genre ; pas seulement « parce qu'avec tout ce qu'elle saurait faire à la maison, ils économiseraient sur une paye plus que n'en aurait rapporté une deuxième... » C'était aussi parce qu'elle avait choisi, tout de suite, de ne vivre qu'à travers son mari.

Et toutes les « libérées » du monde — à la façon, tiens, de sa voisine en plein divorce avec deux gamines ! — ne la feraient jamais revenir là-dessus !...

Justement, elle venait d'arriver la voisine ! L'arrêt de l'ascenseur avait surpris Denise en pleine rêverie. Mais le petit claquement des talons hauts sur les dalles de comblanchien clair du palier était catégorique : c'était bien Muriel Appert qui rentrait chez elle.

« A cinq heures et demie, elle n'est pas en retard !... Ses gamines ne sont même pas encore là !... »

Mais Denise se souvient aussitôt que ce sont les vacances scolaires et que les petites filles ne sont pas là. Du coup, elle court à l'œilleton de sa porte, dans l'espoir d'apercevoir une silhouette d'homme dans le sillage des talons hauts. Mais elle s'y est prise trop tard : elle survient juste pour voir la porte de sa voisine se refermer sur elle.

L'incident cependant l'a émoustillée. Revigorée. Elle range son tricot, allume la télé et file à la cuisine. Elle a prévu de préparer un sauté d'agneau pour le dîner et se dit que plus il mitonnera à feu doux, meilleur il sera.

A six heures dix, l'ascenseur des fonctionnaires stoppe à l'étage. Elle va vérifier qu'il s'agit bien d'eux, par habitude, car le contraire remettrait en question tout ce qu'elle sait du monde !

Durant une heure, l'ascenseur monte, descend, remonte, sans jamais s'arrêter à son palier. D'au-delà des murs par les gaines du chauffage, les conduites d'eau, le gros tuyau invisible du vide-ordure, lui parvient la longue rumeur de la tour réinvestie par ses habitants. Par instant le son d'un poste de radio ou d'un téléviseur réglés trop fort, domine soudain ce murmure épais, intarissable, constant comme la chute d'eau d'un moulin, et dont les ascenseurs des autres cages d'escaliers constituent l'incessant bruit de fond. Mais, aussitôt, la musique, la voix intempestive rentrent dans le rang du brouhaha collectif. On est entre gens bien élevés, de telles agressions ne peuvent être qu'involontaires et aussitôt corrigées.

A sept heures dix, alors que Denise vient de soulever le couvercle de sa cocotte pour surveiller amoureusement le plat qui mijote, l'ascenseur de son escalier se met soudain à ronronner. Elle a un mouvement de surprise : serait-ce Marcel ? A une minute près, c'est son heure. Aurait-il annulé son déplacement à Lyon ?

L'ascenseur, qui était immobilisé très haut, file d'abord d'un trait jusqu'au rez-de-chaussée, puis il repart aussitôt vers les étages et s'arrête à celui de Denise. Du coup, elle est certaine que son mari est dedans et s'avance vers la porte d'entrée à sa rencontre. Mais les pas, au lieu de s'approcher d'elle, s'éloignent. Coup d'œil dans l'œilleton : c'est le mystérieux jeune homme d'en face qui, pour une fois, rentre chez lui à une heure civilisée !

Denise a une petite moue de déception. Puis elle réalise que si Marcel était réellement arrivé, il n'aurait même pas trouvé la table prête. Vivement, elle file à son buffet, sort verres, assiettes, couverts...

L'ascenseur vient de redémarrer vers le bas. Denise n'y prête pas attention : jusqu'à huit heures c'est ainsi chaque jour, il n'arrête pas. Le voici qui se remet en marche et une fois de plus s'arrête devant sa porte. Cette fois, aucun doute n'est possible, c'est son mari qui est dedans... Denise retourne vers sa porte. Elle est encore dans son entrée que, bizarrement, l'ascenseur redémarre pour stopper à l'étage au-dessus. « Quelqu'un qui s'était trompé » songe-t-elle.

Elle retourne vers sa cuisine quand un bruit étouffé l'arrête. On dirait... Oui, elle ne se trompe pas : c'est la porte de Muriel Appert qui vient de s'ouvrir doucement. Du coup, Denise revient à la sienne. « C'est sûr, elle attend quelqu'un qui ne sait même pas bien son étage, ricane intérieurement Denise. Je serais tout de même curieuse de voir quelle tête il a !... » Il lui semble percevoir comme un froissement sur le palier. Elle se colle à son œilleton. Encore une fois, elle s'y est postée trop tard, tout ce qu'elle aperçoit, c'est encore la porte de sa voisine qui se referme sans aucun bruit...

« Eh bien, au moins, elle ne s'embête pas ! » se dit Denise.

Des images horriblement érotiques de sa voisine, offerte à son visiteur invisible, lui traversent l'esprit. « Allez savoir, peut-être qu'elle se fait payer, en plus ? » se demande soudain Denise révoltée... Puis l'image de Marcel s'impose à elle : « Ce soir, moi aussi... » Elle achève de mettre son couvert avec un soin méticuleux. Et elle ajoute même la bougie réservée aux dîners de fête.

Mais elle a beau tendre l'oreille, aucun des bruits que l'on doit, à cet instant, entendre chez sa voisine et qu'elle imagine très bien, ne vient jusqu'à elle. Elle rallume sa télévision et s'installe à la regarder... A huit heures et demie, quand le journal s'achève, elle passe dans sa salle de bain, rectifie son maquillage, recoiffe ses cheveux, souffle un nuage d'eau de toilette sur son cou, derrière ses oreilles, dans ses paumes...

Elle est encore à se pomponner quand, apporté par la cheminée d'aération de la pièce sans fenêtre qui, dans les entrailles de béton de cet immeuble habillé de verre et d'acier, communique avec celle du logement voisin, elle entend le grincement de la porte de Muriel.

Toute excitée, elle traverse en courant son living, atteint le hall, se jette sur l'œilleton. Cette fois, elle a fait assez vite : elle aperçoit une silhouette d'homme sur le point de disparaître dans l'escalier. La minuscule veilleuse de nuit éclaire le palier. Mais le cœur de Denise se met à cogner dans sa poitrine. Elle n'a vu l'inconnu que de dos, mais elle a reconnu le costume, la silhouette fugace, l'imperméable jeté à la hâte sur l'épaule : c'est son mari. Elle en est sûre, elle connaît si bien ses vêtements.

Immobile derrière sa porte, elle se sent devenir de pierre. Si le sang ne tapait pas si fort dans sa tête, si le souffle ne lui manquait pas au point de la suffoquer, elle pourrait penser qu'elle est morte et que seul son esprit stupéfié s'attarde encore entre ces murs.

Combien de temps reste-t-elle ainsi, incapable du moindre mouvement ? Une, deux, dix minutes ? Elle n'en sait rien. Enfin ses membres se décrispent, elle se retourne vers sa table aux raffinements dérisoires. Elle entreprend de réfléchir...

D'abord, était-ce bien lui ? Dans la pénombre bleue de l'escalier, elle n'a vu qu'une silhouette tout de même bien banale. Si elle se trompe, quelle folie de le soupçonner !

Mais si elle a raison ?

L'ascenseur. Il vient de repartir du rez-de-chaussée. Tendue, aux aguets, anxieuse comme une voleuse qui voit approcher une ronde et guette, affolée, la seconde où elle va être découverte, elle écoute son vrombissement doux monter vers elle. Il vient de s'arrêter sur son palier. Un pas s'approche, sa porte s'ouvre, Marcel apparaît. La cravate desserrée et le col de chemise ouvert, ainsi qu'il en a l'habitude pour conduire, il est tout sourire.

Il porte son manteau bleu marine...

Mon Dieu qu'elle a été heureuse, ce soir-là, Denise, en réalisant que ce n'était pas son mari qui était sorti de chez Muriel Appert. L'homme qu'elle avait entrevu — et qui lui ressemblait, pourtant, à jurer devant un tribunal que c'était lui ! — avait un imperméable clair et lui était en manteau sombre.

Marcel n'a pas très bien compris pourquoi elle lui a sauté au cou avec autant de fougue que le soir où il lui avait demandé de l'épouser. Après toutes ces années ensemble, ils s'entendent bien, c'est certain : mais de là à le serrer dans ses bras comme s'il venait de frôler la mort !

Il a ri :

— Ben, qu'est-ce qui t'arrive ma jolie ? C'est le printemps ?

— Non, non... Tu peux pas comprendre, c'est trop bête... Je me suis fait peur toute seule... J'ai cru...

— Que j'allais avoir un accident ? T'en fais pas, va ! Tu sais bien que je suis prudent et que je sais me servir d'un volant. C'est pas demain...

Il croise deux doigts, tend le bras pour effleurer

la bonnetière de merisier centenaire qui resplendit des vingt-trois ans de cire de Denise, au milieu de l'entrée :

— ... enfin, je touche du bois ! Parce qu'on ne sait jamais. Il y a tellement de fous sur la route...

Marcel n'a pas non plus compris pourquoi, ce soir-là, Denise l'a carrément provoqué lorsqu'ils ont gagné leur chambre et a fait l'amour avec une folie qu'il ne lui avait guère connue que trois ou quatre fois dans leur quart de siècle conjugal. Encore, en ces occasions-là, avait-elle été surexcitée par des dîners bien arrosés. Tandis que ce n'était pas le cas cette fois...

Lorsqu'elle est retombée dans son oreiller, encore lointaine, toute imprégnée des brumes où s'attarde le plaisir, il a gentiment remonté le drap sur ses épaules, posé un petit baiser sur ses cheveux : « Eh bien dis donc !... Tu as l'air d'en avoir profité !... »

Lui s'est relevé pour enfiler son pyjama de soie bleu ciel à ganses marine. La veste ouverte, bombant le torse, il s'est redressé : « T'as vu un peu ? A quarante-quatre ans, rien que du muscle !... Et toujours une belle santé, non ?... »

Il a été surpris de voir sa femme se redresser, s'asseoir ; il a observé, au passage, qu'elle avait vraiment de petits seins mais qu'ils résistaient bien au temps ; et il l'a vue prendre subitement un air si grave qu'elle était... comment dire ?... Oui, c'est cela, elle était tragique. Et il l'a entendue lui dire : « Tu sais, Marcel, si je t'avais plus, moi j'aurais plus de raison de rester... »

— Mais rester où, ma jolie ?
— Ici... Chez nous... Dans la vie...
Il a été interloqué :
— Denise, mais ça va pas ce soir ! Qu'est-ce que tu as encore vu à la télé cet après-midi pour avoir des idées pareilles !
— Rien... Mais je t'ai dit, je me suis fait si peur...
Il a filé se brosser les dents. Lorsqu'il est revenu se coucher, Denise dormait. Lui, il est resté un petit moment les yeux grands ouverts dans le noir, à réfléchir. Puis il s'est retourné sur le côté et s'est assoupi d'un coup...

Oui, elle a été très heureuse, Denise, ce soir-là. Et pourtant, même au plus fort de son plaisir, même au plus doux de son sommeil, même au plus calme des jours suivants, elle a senti caché en elle, ténu, imprécis, presque disparu par moment, ce petit poing serré de la terreur qui l'avait pétrifiée devant sa porte, la veille, quand elle avait cru que Marcel était l'amant de sa voisine. Elle ne comprenait pas pourquoi cette petite boule d'angoisse se refusait à la quitter, pourquoi elle restait là, discrète, comme pour dire que rien n'était réglé, que Denise avait encore des raisons de redouter les jours qui venaient...
Maintenant, elle sait.
Elle a été plus niaise que l'innocent qui habitait dans son village quand elle était petite ; plus nigaude que la grande Géraldine Rayon à laquelle on avait fait croire, une fois, que des messieurs de Paris la recher-

chaient pour lui faire faire du cinéma après l'avoir vue passer dans la Grande Rue. Elle a été idiote à en pleurer de fureur. Elle n'a compris sa naïveté que le surlendemain de cette soirée où elle avait cru Marcel perdu.

C'était un jeudi et, comme tous les jeudis, elle avait sorti de la penderie les vêtements de son mari, pour les aérer, les brosser, vérifier la solidité des boutons. Et elle a alors découvert que ni son manteau bleu ni son imperméable clair n'étaient là ! En un éclair elle a réalisé combien elle s'était laissée abuser : sortant de chez l'autre, la Muriel Appert, la catin, avec l'imper, il était allé passer le manteau dans sa voiture.

Pour quelle raison ? Mais simplement par précaution. Elle le connaissait, va ! Il était bien assez malin pour avoir inventé ce subterfuge. Après tout, il pouvait redouter qu'elle l'aperçoive ; le hasard, parfois, fait si mal les choses. Et comme il avait l'art de penser à tout, il avait pensé à cette ruse.

La preuve, d'ailleurs, que celle-ci n'était pas mauvaise, c'est que, tout d'abord, elle avait abusé Denise !

Le soir, lorsqu'il était rentré, bien à l'heure, elle s'était jetée au-devant de Marcel :

— Où est ton imper ?

— Ah, je t'ai pas dit ? Au nettoyage...

— Tu portes tes affaires toi-même au pressing, à présent ?

— Non, ce n'est pas ça... Mais l'autre jour, au restaurant le garçon l'a taché... Comme le patron est assuré, il l'a gardé et donné à son teinturier...

Denise, décontenancée, l'a considéré sans savoir quel parti prendre. Comment découvrir s'il disait vrai, ou s'il venait d'inventer cette fable, à brûle-pourpoint, pour se tirer de l'embarras où elle l'avait mis ? Elle s'est tue et est retournée dans sa cuisine.

Mais à table, c'est lui qui, cette fois, est revenu sur le sujet : « Pourquoi tu m'as fait cette histoire, tout à l'heure, à cause de mon imperméable ? Ce n'est tout de même pas un crime, non ? Et tu sais bien que deux jours sur trois, je dois inviter des clients... De toute façon, ça ne sort pas de notre bourse, c'est la société qui paie. Tout le monde vit comme ça, aujourd'hui.

— Tout le monde...

— Mais oui, tout le monde ! Enfin, ceux qui ne sont pas restés à la traîne dans leurs petits boulots de scribouillards... Il faut t'y faire, j'ai une situation importante, à présent. T'es bien contente d'en profiter ? Alors, il faut en accepter les obligations...

Marcel, au fil de son discours commencé sur un mode doucereux, presque timide, a pris de plus en plus d'assurance. A ce moment, il s'est rengorgé :

— Evidemment, tu ne peux pas te rendre compte. Tu n'as pas évolué, toi ! Ça fait vingt-trois ans que tu n'es pas sortie de ta cuisine !

Denise est devenue toute pâle :

— Salaud !

Le mot a sifflé entre ses dents, comme s'il lui avait échappé. Elle-même en a été presque surprise. C'était la première fois, depuis qu'ils vivaient ensemble, qu'elle insultait son mari. Il en a été ébahi. Puis il l'a pris de haut, a élevé le ton, avec une autorité emphatique :

— Mais vraiment c'est à ne pas croire ! Voilà deux jours, tu étais amoureuse comme une chatte en chaleur, et ce soir tu me fais une scène pour... Pourquoi, au fait ? Parce que j'ai fait nettoyer mon imper sans te le dire ! Est-ce que tu te rends compte à quel point c'est ridicule ? A quel point c'est odieux ? Tiens, je vais te dire : c'est proprement incroyable !

« Il parle bien, maintenant, a songé Denise. C'est vrai qu'il est devenu quelqu'un... »

Elle s'est sentie plus maigre, plus effacée, plus rétrécie que jamais. Pour la première fois de sa vie, elle s'est sentie vieille.

Elle n'a plus desserré les dents — ni pour avaler une bouchée, ni pour prononcer une parole. Elle a desservi, rangé, s'est assise dans son fauteuil devant la télé. Marcel était déjà dans le sien. A dix heures et demie, comme chaque soir, il a éteint le poste. Elle a gagné la salle de bains tandis qu'il s'attardait, dans le living, à feuilleter son journal. Elle s'est couchée. Il l'a rejointe.

Au bout d'un moment, dans le noir, il a voulu commencer à la caresser. Elle s'est refusée avec une brusquerie soudaine :

« Laisse-moi tranquille ! »

Et elle s'est recroquevillée, au bord du lit, presque dans le vide. Il s'est retourné :

« Ah, après tout, si ça te plaît plus... »

Comme pour lui-même, entre ses dents, il a ajouté :

— Tant pis pour toi !...

Une minute après Denise a entendu sa respiration se ralentir, il dormait.

Mais elle, à cinq heures du matin, elle aurait pu dire combien de voyages avaient accompli durant la nuit, tous les ascenseurs de sa tour : quarante-deux. Elle les avait comptés, un à un, incapable de seulement fermer les yeux...

Il y a sept semaines de cela, aujourd'hui — bientôt deux mois. Et depuis bientôt deux mois, Denise s'est inventé l'enfer.

Tant que Marcel n'est pas rentré, elle est comme une bête aux abois. A chaque ascenseur qui s'ébranle, elle accourt dans son entrée, le doigt posé sur le petit couvercle de l'œilleton, prêt à le pousser. S'il s'arrête à son étage, elle colle son œil sur la petite loupe. Jusqu'à présent, elle n'y a jamais vu que ses voisins, et par trois fois, les mêmes amis venus rendre visite aux fonctionnaires.

Mais ce n'est pas le pis !

Elle n'a pas oublié l'astuce du visiteur de Muriel Appert qui ressemblait tant à son mari : il n'a pas pris l'ascenseur à son étage, il a filé par l'escalier. Alors chaque fois que l'élévateur qui dessert cette partie de la tour se met en marche au rez-de-chaussée, pour s'arrêter au-dessous de chez elle, ou bien au-dessus, elle attend durant des minutes, le regard braqué sur son palier. Elle tend l'oreille comme une hallucinée, pour tenter de surprendre le bruit d'un pas dans l'escalier. A présent, même, elle entrouvre sa porte pour mieux entendre...

Une fois où elle était ainsi, visage tendu dans l'entrebâillement de sa porte, Muriel Appert est sortie de chez elle, sans qu'aucun bruit l'ait annoncée. Ses yeux se sont posés sur la porte de Denise, étonnés. Elle l'a vue, elle lui a même adressé un petit salut d'un air gêné. Denise a claqué sa porte sans répondre.

Cent fois, mille fois, elle a tenté de se raisonner, de se dire qu'elle se faisait des idées, qu'elle était, tout d'un coup, comme ça, après vingt-trois ans de vie confiante, devenue jalouse sans raison. Mais aucun de ses arguments n'a pu chasser le petit poing noir, crispé au creux de son estomac et qui, par instant, se met à s'ouvrir, se refermer spasmodiquement...

Dans ces moments-là, ses mains, ses jambes, sa tête, la brûlent ; elle voudrait hurler, taper sur tout ce qui l'entoure, briser ces murs, cette porte, ces bruits dont elle est devenue prisonnière. Mais, en même temps, elle sait très bien que tout cela ne servirait à rien. C'est en elle-même que gît sa peur. Et elle se voit sans aucune arme pour la repousser. Au contraire même : tout ce qu'elle invente, tout ce qu'elle fait, n'est plus inspiré que par cette souffrance qui l'obsède. Plus elle s'agite, plus elle agit, plus elle renforce sa puissance. Naguère, deux après-midi par semaine, elle descendait prendre le bus, allait en ville faire ses courses, musarder devant les vitrines. A présent, elle ne peut plus sortir de chez elle que pour se rendre, toujours courant, au supermarché de sa tour. Et encore : elle attend avant de s'éloigner, d'avoir vu la Muriel Appert quitter son appartement. Puis elle se dépêche de remonter, de crainte que celle-ci soit revenue chez elle sans qu'elle l'ait vue, que Marcel en ait profité pour s'y faufiler avec elle...

« Je vais devenir folle ! » se répète-t-elle, après chacune de ses alarmes, quand le silence gris de la journée a repris possession de son immeuble.

Mais son angoisse est plus forte qu'elle.

Et avec Marcel, c'est pareil.

Dès qu'il est parti, le matin, elle ne pense qu'à lui. Elle frotte, astique, repasse, coud, avec une énergie maniaque. Pour que son logement resplendisse. Qu'il lise dans l'éclat du parquet ce trop plein d'amour qui l'étouffe. Elle cherche des recettes inédites, rares, compliquées, comme celles dont il doit se régaler le midi, au restaurant, pour lui montrer qu'à sa façon, elle aussi, a évolué...

Elle a recommencé à se maquiller soigneusement, le soir, juste avant son arrivée. Malgré l'anxiété qui la torture dès qu'elle est hors de son appartement, elle va toutes les semaines chez le coiffeur. Elle met la bougie tous les soirs sur la table de leur dîner. Depuis une semaine, elle ajoute même une fleur.

Mais dès qu'il est là, tout se gâte.

Avant son retour, Denise s'inquiète, s'attendrit, s'irrite, suspecte le moindre bruit qui paraît provenir de chez sa voisine. Elle va de sa cuisine à son entrée, de son entrée à sa salle de bains où elle entend, comme si elle y était avec elles, tout ce que Muriel Appert et ses filles se disent dans la leur. Elle s'impatiente, s'énerve, s'affole...

Puis Marcel survient, bien ponctuel. Même lorsqu'il est retardé, le soir, il est toujours là à l'heure dite. Denise soupire et se détend. Un moment, elle est même heureuse.

Mais quand ils commencent à dîner, que les apparences de la vie montrent qu'en fait rien n'a changé, il lui vient une sorte de rancune. Comme un vieux fond de méchanceté qui fermenterait dans son cœur et s'emparerait de ses paroles pour lui faire dire ce qu'elle ne veut pas.

Elle a été si malheureuse, toute la journée ! A présent qu'elle cesse enfin de se torturer, elle se met à détester celui qui cause tous ses tourments. Elle a besoin de s'en venger.

Si Marcel dit : « Aujourd'hui, tout a marché sur des roulettes ! J'ai décroché un de ces contrats... », elle pense à ce qu'elle a enduré pendant ce temps et elle grince : « T'as bien de la chance de passer tes journées à t'amuser... »

— Mais je ne m'amuse pas ! J'ai même travaillé drôlement dur. Il a fallu revoir tous les comptes de...

— Tu parles ! Ça n'a pas dû t'empêcher de traîner deux heures au restaurant !

— Je t'ai dit mille fois...

Si Marcel dit : « Oh, quelle journée, je n'en peux

plus... », elle imagine qu'il a passé l'après-midi à se rouler sur cette dévergondée de Muriel Appert ; remarque qu'il a les yeux cernés ; sa cravate nouée un peu plus haut que ce matin, lorsqu'il est parti ; elle lance perfide : « Je t'ai appelé à trois heures et demie. Tu n'étais pas à ton bureau. »

— A trois heures et demie ? Pas possible. J'étais là. J'ai même déjeuné d'un sandwich tellement...

— C'est drôle tout de même. La standardiste m'a dit que tu n'étais pas encore rentré !

— Elle t'a dit ça ? Vraiment, quelle gourde ! Elle répond n'importe quoi. D'ailleurs, au fond de son placard, comment veux-tu qu'elle sache où je suis ? Je devais être chez le comptable, ou avec les représentants...

— Facile à dire...

Elle est accrochée à sa hargne comme un coyotte à sa charogne. Plantée de toutes ses griffes dans son besoin de harceler son compagnon, de le convaincre de mensonge.

Evidemment, Marcel finit par exploser. Il tonne une volée d'injures puis va s'asseoir, renfrogné, devant le téléviseur couleur tout neuf, avec télécommande, qu'il vient de s'offrir.

Denise se tait. Elle est navrée, désespérée, elle se sent aussi stupide que si elle avait raté une robe et gâché un coupon de vraie soie. Elle voudrait dire...

Elle dit, parfois, au bout d'une heure, incapable de s'intéresser à ce qui se déroule sur l'écran : « Excuse-moi, je me suis emballée... Je ne voulais pas... »

— Mais tais-toi donc ! réplique Marcel. Tu ne vois pas que je regarde le feuilleton ?...

La vie s'aigrit, la vie se perd, la vie s'exaspère.

Marcel se referme sur lui-même, depuis des jours et des nuits. Denise se ronge. Elle a maigri, on dirait que sa peau est aspirée par le dedans. Elle a le teint jaune. Marcel ne paraît même pas le voir.

Et son indifférence butée exaspère encore plus Denise. Il se défend, en détail, contre toutes ses insinuations, mais il ne l'affronte jamais de face. Il ne dit pas : « Ecoute, Denise, tu n'es plus normale depuis deux mois. Qu'est-ce qui te travaille ? Pourquoi es-tu sans arrêt à me harceler ? De quoi me soupçonnes-tu, au juste ? Explique-toi, enfin, un bon coup !... Ou alors, si tu n'as pas de raison, c'est que tu es malade. Je vais t'emmener chez le médecin... »

Non, il ne dit rien de tout cela, Marcel ! Il réplique, bataille, mais refuse de regarder le fond des choses. Est-ce que ce ne serait pas, justement, parce qu'il le connaît trop bien ?...

Le pire de tout, c'est qu'elle n'a encore aucune preuve.

Depuis le temps que l'idée la hante, elle est certaine que sa voisine est la maîtresse de son mari. Mais elle n'a pas pu les surprendre, saisir au bond le petit indice qui lui permettrait de les confondre. Elle s'acharne à son espionnage d'escalier, certaine qu'un jour elle va réussir à leur tomber dessus. Mais ce jour tarde et elle se demande combien de temps elle va pouvoir vivre comme ça...

Et voici qu'un jeudi matin, ayant comme chaque semaine sorti de sa penderie les vêtements de son mari, l'idée lui vient de cirer, aussi, ses beaux bagages de cuir rangés dans le débarras de la salle de bains. Deux valises et un sac de voyage qu'il a achetés il y a deux ans et que Denise n'a jamais touchés. Elle les ouvre, les étale, les brosse, en explore les poches intérieures pour en chasser la poussière. Soudain sa main s'immobilise sur un étui de peau, mystérieux, qu'elle vient de découvrir dans l'une d'elles. Elle le sort, l'ouvre et hoche la tête, sévère : elle a trouvé son pistolet.

Voilà plus de huit ans qu'il l'a acheté, à une époque où il voyageait sans arrêt : « Tu comprends, la nuit, sur la route. »

Mais Denise n'a pas approuvé : « C'est trop dangereux, tu peux te blesser, te tromper, tirer sur quelqu'un qui ne te veut aucun mal. Moi, je te le dis, je ne veux pas de ça chez moi ! Et puis, en plus, t'as pas de "permis" ? T'imagines un peu les ennuis, si on le trouve dans ta voiture ? Tu vas me promettre... »

Il a promis. Cependant comme un gosse tout fier de son jouet neuf, il a tenu à lui montrer comment on devait s'en servir, mettre les balles dans le chargeur, glisser le chargeur dans la crosse, débloquer d'une minuscule pression du pouce le cran de sûreté, armer, tirer...

Devant le petit pistolet noir, Denise se souvient de tout avec une précision parfaite. Elle a toujours eu la mémoire des gestes. « C'est comme ça que j'ai appris à cuisiner, dit-elle toujours. En regardant faire ma mère et en flairant ses sauces. »

Du coup, elle cherche le chargeur, le trouve tout garni de ses balles, le met en place sans peine. Elle pousse même la sécurité pour vérifier qu'apparaît bien le petit point rouge que Marcel lui avait appris à repérer.

Il est midi. Juste à cet instant elle entend confusément son ascenseur s'arrêter sur son palier. Sans réfléchir, elle pose l'arme sur une valise et se précipite vers son entrée. Dans la loupe, elle aperçoit Muriel Appert qui ouvre sa porte, rentre chez elle...

« Qu'est-ce qu'elle vient faire à cette heure-ci ? » fulmine Denise.

En vérité, elle ne l'imagine que trop ! Sa jolie voisine vient attendre Marcel qui ne va pas tarder à surgir, c'est certain. Tremblant de fureur, Denise reste collée à sa porte, l'œil aux aguets sur son œilleton.

Mais le temps passe sans que personne se montre. L'ascenseur va, vient, s'arrête, repart, sans jamais stopper devant chez elle. Denise s'épuise.

Au bout d'une heure, elle songe soudain à tout ce désordre qu'elle a laissé dans sa salle de bains, avec ce pistolet chargé sur la valise. Si Marcel survenait vraiment, mais chez elle et à l'improviste, que n'irait-il imaginer !...

Elle retourne vers les valises pour les ranger. Elle vient à peine de se pencher sous son lavabo, que la voix de Muriel lui parvient par la petite grille d'aération : « Chéri, dit-elle, quand vas-tu parler à ta femme ? Je te jure que ça ne peut plus durer. Puisque tu as décidé de divorcer, aie le courage de le lui dire. Même pour elle ce sera plus... »

La voix diminue soudain, en une seconde, jusqu'à devenir presque inaudible. Muriel est passée dans une autre pièce.

Denise, cependant, est terrifiée. Elle perçoit, par instant un murmure confus, incompréhensible mais dans lequel elle est sûre de discerner le timbre plus grave d'une voix d'homme. Elle comprend tout : Marcel est là et c'était d'elle qu'il s'agissait quand Muriel a dit : « ... à ta femme ».

La voilà donc la vérité qu'elle traquait depuis tant de jours avec l'obstination d'une louve à suivre la piste d'une proie : Divorcer. Marcel veut divorcer.

Lui qu'elle a soigné vingt-trois ans comme aucune mère ne l'aurait fait ; lui qu'elle a servi, choyé, guidé, conseillé, habillé, soutenu pour qu'il devienne ce qu'il est ; lui sans lequel elle ne sait plus comment elle pourrait encore vivre — il veut la jeter comme un vieux chien qu'on mène lâchement au refuge, pour s'offrir l'autre, la jeune, la catin ! Mais c'est ignoble, c'est...

Elle a saisi le pistolet, traversé son appartement, surgi en trombe sur le palier, foncé à la porte de sa voisine, tapé dessus du poing et du pied en hurlant : « Je vous tiens, bande de salauds ! Ouvrez ! Je vous tiens, je vous dis... »

On a ouvert. Muriel en peignoir vert émeraude, le visage effaré, est apparue dans l'entrebâillement.

« Mais, Madame, vous... » a-t-elle tenté de dire. Denise a pesé sur la porte pour pénétrer à l'intérieur. Muriel a voulu résister. Et Denise s'est mise à tirer.

La première balle a touché Muriel à l'épaule.

Comme une folle, la jeune femme a lâché la porte, s'est ruée au dehors, courant vers l'escalier en hurlant au secours. Denise s'est retournée vers elle et a tiré de nouveau, sans l'atteindre. En même temps la porte s'est refermée d'elle-même. Et Denise a vidé le reste du chargeur dans le panneau de bois. Puis elle est restée là, stupide, bras ballants jusqu'à ce que le jeune homme sans horaire survienne, de l'autre côté du palier, saute sur elle, la désarme et coure se pencher sur Muriel, pliée en deux dans l'escalier.

« Ne craignez rien, je suis policier, lui a-t-il dit. J'appelle le SAMU tout de suite. » Muriel a levé le visage vers lui, a paru vouloir dire quelque chose en montrant son appartement mais s'est évanouie sans parler...

Deux brancardiers emportent Muriel qui n'a pas repris connaissance mais dont le médecin a assuré qu'elle n'a pas l'air gravement blessée. Des agents encadrent Denise qui ne cesse de murmurer : « Mon Dieu, mon Dieu, qu'est-ce que j'ai fait... Mon Dieu, mon Dieu... »

Elle semble réciter son chapelet.

Avec d'autres inspecteurs en civil, son jeune voisin examine les impacts des balles sur la porte de Muriel Appert. « Et à l'intérieur, qu'est-ce qu'il y a ? demande l'un d'eux. Faut regarder. »

Il ouvre la serrure avec un passe. La porte résiste

Deux hommes la poussent et découvrent ce qui la bloquait : un homme gît à terre derrière elle. Les balles ont traversé le bois et l'ont frappé en pleine poitrine. Il saigne, il est sans connaissance.

— Marcel ! hurle Denise terrifiée.

Deux agents saisissent ses bras, la maîtrisent, tandis que des blouses blanches virevoltent autour du blessé. Enfin celui-ci passe devant elle.

— C'est votre mari ? demande un policier.

Les yeux de Denise s'agrandissent jusqu'à devenir deux globes blancs, immenses au-dessus de ses joues creuses. Sa bouche s'ouvre pour hurler de nouveau, mais seul un râle imperceptible franchit sa gorge. Malgré les gardiens qui la tiennent, elle tend une main horrifiée vers le blessé, comme si elle voulait le repousser, le chasser, ne l'avoir jamais vu.

— C'est votre mari ? répète l'inspecteur.

Denise vacille, s'évanouit.

Ce n'est pas Marcel.

Le blessé est l'ami de Muriel Appert. Il était chez elle depuis la veille. Il va s'en tirer, au demeurant ; Muriel aussi.

Denise l'ignore pour l'instant. Comme elle ignore qu'on ne va pas l'emmener en prison, mais à l'hôpital. Là, les psychiatres parleront de « raptis anxieuse », de « psychose », de « démence précoce ». « Ne vous faites pas trop d'illusions, avec ce type de maladie, il y a des cas de guérison, mais ils sont rares... » expliqueront-ils à Marcel. Et Marcel viendra fidèlement passer ses dimanches, désormais, avec Denise qui ne saura même plus qui il est...

Elle n'en est pas là, elle revient seulement à elle. Les deux agents qui la soutiennent réclament un brancard, il n'y en a plus, mais Denise a recouvré ses forces, et ils décident de l'asseoir sur une chaise pour la descendre au rez-de-chaussée.

Un troisième appelle l'ascenseur. Denise l'écoute monter vers elle en dodelinant doucement de la tête. Elle sourit.

III

CETTE PAUVRE MARGARET

« Non, Votre Honneur, ce n'est pas une erreur. Je m'appelle Agatha Simpson-Chikoff. Je suis la veuve de la victime. Mais je suis bien citée par la défense comme témoin à décharge. Ce qu'a fait cette pauvre Margaret que vous jugez, ici, aujourd'hui, je vous l'avoue, j'aurais pu le commettre avant elle, il y a trente ans. Et pas qu'une fois ! Ce qui m'a sauvée, moi, c'est que Nick est parti à temps. Et que j'ai horreur du champagne. Sans cela...

« Si je désire m'asseoir pour témoigner ? Certainement pas, Votre Honneur. Voyez vous-même : quatre-vingt-quatre ans, mais cinquante-deux kilos et bon pied bon œil. Je viens de passer deux heures dans le train pour venir du Sussex où je vis aujourd'hui, et j'ai été assez assise pour la journée. D'ailleurs, j'ai tellement de choses à dire que je préfère parler debout, je me sentirai plus à l'aise... Sans compter qu'il a bien fallu une heure au taxi qui m'a amenée jusqu'à ce tribunal ! Circuler dans Londres est vraiment devenu impossible. Songez que nous avons mis plus d'un quart d'heure pour franchir Piccadilly Circus et...

« Pardon, Votre Honneur, vous avez raison, je m'égare. Vous voulez savoir pourquoi je viens défendre cette femme alors qu'elle a tué mon mari ?...

« D'abord, "tué" est un bien grand mot ! Elle tenait cette bouteille de champagne à la main — du champagne rosé, oui, Votre Honneur, je l'ai lu moi aussi dans le rapport de l'inspecteur... Je disais donc qu'elle tenait cette bouteille à la main et que son geste a été complètement instinctif — irréfléchi, si vous préférez... Après ce que venait de lui dire Nick, n'importe quelle femme à sa place aurait eu au moins envie de le gifler, vous savez !

« Bien sûr, elle ne l'a pas giflé, elle l'a frappé avec la bouteille, sur le crâne. Mais, de vous à moi, la différence n'était pas grande en ce qui concernait l'intention !... Moi, en tout cas, vous ne me convaincrez jamais du contraire, Votre Honneur ! Moralement, cette pauvre Margaret a seulement giflé Nick. C'est un hasard malheureux, une fatalité, qui ont voulu qu'elle tienne, juste à ce moment-là, cette bouteille... Parce que je dois vous le dire, cette gifle-là, ce « Tartare » de Nick l'avait méritée cent mille fois. Pour moi, cette pauvre Margaret n'a pas commis un meurtre, elle a fait acte de justice !...

« Plaît-il, Votre Honneur ?... Ah oui, vous dites qu'ici, la Justice c'est votre affaire et pas celle des simples citoyens... C'est exact, Votre Honneur, pardonnez-moi. Je ne voudrais pas que vous accusiez en plus, cette pauvre Margaret d'avoir usurpé vos fonctions ! Mais je veux que vous le sachiez bien : Nick était devenu un véritable obsédé — oui, Votre Honneur, sexuel, Votre Honneur — et il n'a eu que ce qu'il méritait.

« Il ne cherchait nullement à se faire casser la tête par une dame qui partageait sa vie depuis vingt ans ? Ça, c'est ce que montrent les apparences. Mais souvenez-vous de l'Ecclésiaste : « Qui creuse un puits, tombe dedans », dit Qohélet, fils de David... Nick avait creusé son puits, tout seul, Votre Honneur ! Cette pauvre Margaret l'a seulement un peu poussé dedans !...

« Oui, Monsieur l'Attorney [1], je vous écoute... Vous voulez que j'expose les faits, tels que je les connais, simplement ? Mais n'est-ce pas ce que je fais à cette barre depuis cinq minutes ?... En laissant aux jurés le soin de les apprécier eux-mêmes, dans le secret de leur conscience ?... Bien entendu. Mais vous ne m'empêcherez pas de livrer le secret de la mienne !... Je dois commencer par le commencement, expliquer d'abord comment j'ai connu la victime et ce que je sais d'elle ? Mais tout, Monsieur l'Attorney ! C'est bien pourquoi je suis tellement troublée de voir cette pauvre Margaret dans ce...

« Oui, d'accord, je vais vous raconter d'abord comment j'ai épousé ce monstre, Votre Honneur...

« C'était en 1921, je venais d'avoir vingt ans. Mon

1. En Angleterre, procureur ou avoué. Il s'agit donc ici du procureur.

père était menuisier dans le quartier de London Bridge. Un excellent menuisier. Il n'avait pas son pareil pour équiper les yachts du Port de Londres ancrés à deux minutes de son atelier. Ses affaires étaient si prospères qu'un jour il a décidé de s'adjoindre un commis. Et c'est alors qu'un archiduc russe qui ne possédait plus que son voilier, lui a adressé Nicolas. Oui, Votre Honneur, Nicolas Chikoff, mon mari. La victime, si vous préférez. Il avait juste vingt et un ans et il arrivait de Crimée, par les Dardanelles, la Turquie, la Grèce et je ne sais où encore. Il s'était battu pour le Tsar, avec les Russes Blancs. Mais les Rouges avaient coincé son régiment et il s'était échappé de justesse. Il était né dans le Caucase et il me parlait toujours des galets roses de la plage de la Mer Noire où il allait, en été, quand il était petit. Mais comme il avait servi dans la cavalerie, moi je l'appelais le « Cosaque » ! Mes parents, eux, l'ont tout de suite rebaptisé à l'anglaise, ils lui ont donné le nom de Nick. Il l'a toujours gardé depuis.

« Il n'était pas menuisier mais mon père l'a quand même engagé. Parce qu'il faut vous dire que l'archiduc, en plus de son trois-mâts, possédait des malles de bijoux et était notre meilleur client.

« A cette époque-là, Nick était un grand jeune homme blond, très mince, très grand, très discret. Il ne parlait pas beaucoup et, à tout ce qu'on lui demandait, il répondait toujours : « Da, da » — ça signifie « oui » en russe, Votre Honneur... Vous le saviez ? Très bien, je poursuis...

« Je dois l'avouer, Nick m'a tout de suite plu. Il était vraiment très beau, d'autant plus qu'il avait rapporté de la guerre une cicatrice toute mince qui lui rayait une joue et qui lui donnait vraiment l'air d'un héros ! En plus, il était très intelligent ; au bout de trois mois il était devenu un excellent menuisier et il commençait à se débrouiller très bien avec notre langue. Il habitait avec nous et, six mois après son arrivée, quand il m'a dit qu'il était très épris de moi et qu'il serait vraiment très honoré si j'acceptais de l'épouser, je n'ai pas été vraiment surprise. J'ai même trouvé qu'il avait beaucoup tardé à se déclarer !

« Il ne m'a d'ailleurs pas prise au dépourvu. Je m'étais déjà renseignée sur la marche à suivre pour célébrer un mariage entre un Orthodoxe et une Presbytérienne. C'est ma religion, Votre Honneur, et j'y ai toujours attaché beaucoup d'importance...

« Ici je dois dire, honnêtement, que Nick a d'abord été un mari parfait. Il travaillait quinze heures par jour avec mon père et, pour ce qui est de notre vie... intime, enfin, je veux dire nos rapports privés, amoureux... Vous voyez de quoi je parle, Votre Honneur ?... C'est cela, oui, nos relations sexuelles, il était aussi très satisfaisant... Je suppose que vous voyez aussi de quoi je parle, Votre Honneur ?...

« Comment ? S'il avait des goûts pervers ? Certainement pas, je ne le lui aurais pas permis ! Je lui accordais régulièrement notre soirée du samedi, parce qu'en semaine je n'aurais pas voulu le fatiguer. Il fallait qu'il garde ses forces pour l'atelier... Mais croyez-moi, Votre Honneur, il ne se plaignait pas de notre vie !

« Peut-être aurait-il voulu avoir des enfants ? Mais je lui avais expliqué que c'était impossible ; je m'occupais de toute la comptabilité, de tout le courrier de notre affaire et je ne pouvais vraiment pas avoir des bébés dans les jambes en plus. Nick l'avait très bien compris, je crois...

« D'ailleurs, il était lui aussi très occupé. C'était le début de la crise — non, Monsieur l'Attorney, pas celle du pétrole en 1977, la vraie, celle de 1926 — et les clients des yachts devenaient de plus en plus radins. Mon père, même, broyait du noir devant ses beaux panneaux d'acajou sans emploi. Mais Nick a inventé de fabriquer des petits meubles, pas cher, en série, pour les gens modestes. Et comme à cette époque-là il y en a eu de plus en plus, des gens modestes, ses meubles se sont vendus comme des places de cricket un jour de championnat d'Angleterre !

« C'est bien simple, Votre Honneur, un an après nous avions engagé dix ouvriers et triplé l'étendue de notre atelier. Et à partir de cette époque, Nick n'a plus vécu que pour notre affaire. Dix-huit heures par jour à dessiner, organiser, courir les marchands de bois et les magasins de détail lui suffisaient à peine. Le week-end, il travaillait encore à la maison. Je n'étais pas en reste, pour ma part : je passais le plus clair de ma vie dans le bureau de notre société.

« Ah oui, je dois vous dire que mes parents s'étaient retirés — oui, dans le Sussex, là où je vis moi-même aujourd'hui. Et ils nous avaient laissé leur entreprise. Alors, c'était bien normal de s'y donner autant ; après tout, nous ne travaillions que pour nous-même ! Mais je reconnais que nous étions tellement occupés que très souvent, le samedi soir, Nick ne demandait même plus rien. Il se couchait avec un dossier et s'endormait le nez dedans !

« Vous le voyez, Votre Honneur, à ce moment-là, il était vraiment un homme comme les autres. A cette époque-là, je n'aurais jamais imaginé qu'il deviendrait un jour... !

« Mais vous avez raison, Votre Honneur, poursuivons dans l'ordre.

« Enfin, dans l'ordre... Parce que vous allez voir que l'on va tout de même vite en arriver à des désordres ! Notre affaire s'est tellement bien développée qu'en 1939 nous avions deux cents ouvriers dans nos nouveaux ateliers, du côté de Soho, un magasin-exposition dans Regent Street et toute une chaîne d'autres succursales dans vingt-deux villes du Royaume. Nous avions aussi déménagé pour nous installer dans Mayfair... Un joli quartier, en effet, Monsieur l'Attorney...

« Et puis il y a eu la guerre. Nick a voulu s'engager, mais il était trop âgé pour aller au front. Il a été affecté à la Défense civile de Londres. Vous le savez aussi bien que moi, pendant quatre ans et demi, ils n'ont pas beaucoup chômé dans ce service-là !... Enfin, nous avons eu de la chance. Notre appartement a reçu un V2, mais notre usine n'a jamais été bombardée. Et il y avait eu tellement de meubles cassés que nous avons recommencé à vendre les nôtres mieux que jamais. L'affaire s'est encore développée. Cette fois nous sommes venus habiter dans Bishops Avenue, à Hyde Park — oui, Monsieur l'Attorney, un encore plus joli quartier ! Mais nous pouvions nous le permettre car nous commencions à posséder une assez jolie fortune...

« Nous avons continué, ainsi, jusqu'en 1958. Cette année-là, le soir de notre anniversaire — car nous avions, à un an près, la même date de naissance ! Ça m'avait toujours amusée... Ce soir-là, donc, j'avais organisé une grande réception. Il y a vingt-cinq ans de cela, vingt-six même, cette année, mais je ne l'oublierai jamais !

« J'avais réservé une surprise à Nick : je voulais lui annoncer que nous venions, le matin même, de boucler notre premier milliard à la banque. J'entends : de fortune personnelle, en plus de l'affaire, bien entendu...

« C'est coquet ? Certes, mais il y avait trente-cinq ans que nous travaillions dur, tous les deux, sans avoir jamais pris un seul jour de vacances et, croyez-moi, cet argent-là, nous ne l'avions volé à personne !

« C'est d'ailleurs exactement ce qu'a dit Nick quand je lui ai annoncé le chiffre. Mais il a eu un air bizarre pour ajouter : « Quel âge avez-vous aujourd'hui, Agatha ? » « Mais, 57 ans, Nick, vous le savez bien ! » « Et quel âge ai-je atteint moi-même ? » « Allons, ne faites pas l'enfant. Vous avez comme d'habitude un an de plus que moi ! » « Eh bien, Agatha, je vais, à mon tour, vous citer l'Ecclésiaste que vous rabâchez à tout bout de champ : "Il y a un temps pour chercher et un temps pour perdre". J'ai cherché, j'ai trouvé, désormais je vais perdre ! »

« Je n'y ai pas pensé sur le moment, mais la réponse était dans le même livre de la Bible, Votre Honneur. C'était : "Le fou se croise les bras et il se dévore lui-même !" Malheureusement ce verset ne m'est pas venu à l'esprit car je ne réalisais pas vraiment ce que voulait dire Nick. Je n'ai pas tardé à le comprendre. A 58 ans, il a brusquement révélé sa vraie nature : en vérité ce Caucasien était un barbare, un Tartare du temps de Gengis Khan, un sauvage bestial et sans âme, un fou de sexe ! J'avais vécu près de quarante ans à son côté et je n'en avais rien soupçonné. Mais il n'a pas fallu deux heures pour que la vérité éclate, enfin, là, sous mes yeux...

« Il faut vous dire, Votre Honneur, que nous avions depuis deux semaines une nouvelle femme de chambre. Une grande Galloise, un peu rousse, qui se prénommait Paméla et m'avait fait plutôt bonne impression : elle savait très bien préparer mes plateaux pour le thé et ne m'adressait jamais la parole la première.

« Si elle était jolie ? Je ne sais plus, Monsieur l'Attorney, mais elle avait juste vingt ans, c'est une façon d'être jolie, vous ne trouvez pas ?...

« Bref, la réception finie je suis allée dans ma chambre. Mais j'avais bu un peu de "Cherry" et je n'ai pas trouvé le sommeil tout de suite. Et puis j'étais tourmentée à propos d'un contrat avec le Canada. Il y avait, surtout, un détail dont je ne parvenais pas à me souvenir et j'ai eu l'idée d'aller demander à Nick de me le rappeler. Je me suis donc rendue dans sa chambre et j'y suis entrée sans frapper. C'était bien naturel entre époux.

« Mais la scène que j'ai surprise là !...

« Je suppose que vous-même ne saurez pas l'imaginer, Votre Honneur ! Ou bien, alors, c'est que vous lisez ces revues salaces que l'on voit aujourd'hui affichées dans tous les kiosques, ce dont je ne vous complimente pas. En tous cas, sachez — puisque vous voulez que je témoigne, je dis tout — que Pamela était dans sa chambre, sans la moindre chemise sur le dos, à quatre pattes au pied du lit et que ce Tartare de Nick s'échinait dessus comme un scieur en long du temps de mon défunt grand-père !...

« Et croyez-vous que ce monstre s'est interrompu en me voyant ? Pas du tout ! Il m'a regardée de ses yeux tout injectés de sang et il m'a dit... oui, savez-vous ce que m'a dit cette espèce de vieux phoque lubrique ? "Le temps de perdre, Agatha ! Le temps de perdre..." Je lui ai simplement répondu : "En tout cas, vous ne perdez pas le vôtre, Nick !" Et je suis sortie.

« Le lendemain j'ai flanqué la Galloise à la porte. Le soir même Nick m'a appris qu'il l'avait installée dans un petit logement bien à elle ! Puis il m'a dit très posément : "Avec l'argent que nous avons, nous pouvons vivre de nos rentes, comme des seigneurs, pendant un siècle, en ne pensant plus qu'à nos plaisirs. Occupez-vous des vôtres, je me charge des miens !"

« Vous ne me croirez pas, Votre Honneur, mais c'est la dernière fois que nous nous sommes adressés la parole. Par la suite, nous n'avons plus communiqué que par l'intermédiaire de nos avocats !

« Nick a cessé de s'occuper de notre affaire et commencé à disparaître, parfois durant des semaines, de la maison. Mais je me suis toujours tenue informée de ses activités. Elles n'étaient pas variées : il ne pensait plus qu'aux femmes. Après la Galloise, il y a eu une Jamaïcaine, puis deux Françaises, une Brésilienne — une noire splendide, d'après les photos, je le reconnais ! — une Grecque, deux Polonaises, une Indienne, une Italienne, une Irlandaise... J'arrête. Ce n'était plus un être humain, c'était un atlas des sept voluptés !

« Il m'a fait proposer de divorcer. J'ai refusé. Et je lui ai même imposé de continuer à habiter notre appartement de Hyde Park, car c'était indispensable pour la bonne image de notre firme. Devant sa défection, j'avais en effet décidé de continuer à la diriger toute seule. Je m'y suis tenue jusqu'à l'âge de soixante-cinq ans. Là, seulement, j'ai passé la main et je suis allée vivre dans le Sussex. J'y ai des roses anciennes superbes. Et remontantes, vous savez, c'est rare... Mais ce n'est pas ce qui vous intéresse, je le vois bien...

« Nos hommes d'affaires ont réparti notre fortune

entre Nick et moi. Il est de fait qu'avec ce qu'il avait, il pouvait vivre en s'accordant tous ses caprices. Et croyez-moi, il s'en est accordé, le Cosaque ! Quand j'ai cédé notre entreprise, je l'ai autorisé à quitter notre domicile conjugal. Il a acheté une grande villa près d'Alicante, en Espagne. Et je me suis laissé raconter que ce qu'on a vu se passer dans le parc aurait laissé sans voix cet impudique de Lawrence lui-même et toutes ses ladies Chaterley ! Un faune orgiaque, Votre Honneur, voilà ce qu'était alors cet homme...

« Il a vécu de cette façon jusqu'en 1964. Car c'est cette année-là qu'il a rencontré cette pauvre Margaret. A une partie chez Lady Thaming-Wilson qui est toujours une de nos bonnes amies, d'ailleurs. Car je dois vous dire que Margaret n'a rien de commun avec le genre de filles qui avaient occupé Nick depuis la Galloise.

« Margaret est une vraie dame, elle. Parfaitement respectable, je tiens à le préciser...

« Vous dites, Monsieur l'Attorney, qu'elle a tout de même tué mon mari ? Oui, peut-être, mais si peu, en vérité ! Je vous l'ai dit : “le fou n'est jamais dévoré que par lui-même !...” A cette époque-là, Margaret était encore très jeune. Elle a vingt-cinq ans de moins que moi et lorsqu'elle a connu Nick, elle en avait juste trente-neuf. Elle venait de divorcer d'un officier de notre ancienne armée des Indes qui l'avait gravement injuriée ; il lui imposait de jeunes domestiques asiatiques dont il faisait ses amants !

« Ses amants à lui, Monsieur l'Attorney, pas à elle...

« Vous hochez la tête, Votre Honneur ? Vous avez raison, l'espèce humaine n'est pas souvent jolie à voir. Et l'espèce masculine ne l'est jamais !... Mais laissons cela. Margaret avait reçu une éducation parfaite, elle avait beaucoup d'allure. Je suppose que Nick a dû lui jouer la même comédie qu'à moi, quand il avait débarqué à Londres depuis sa Tartarie natale. En tout cas je suis témoin qu'elle s'est éprise très sérieusement de lui, puisqu'elle m'a même rendu visite pour me convaincre de divorcer et lui permettre d'épouser Nick. Lui-même était pleinement d'accord, il me le confirmait dans une lettre.

« Malheureusement, je n'ai pas pu leur accorder ce qu'ils réclamaient. J'appartiens à une secte qui pense que “l'on ne doit pas trancher ce que Dieu a uni” et qui n'admet pas le divorce. Or, dans notre cas, notre mariage avait été béni deux fois : une par le Pasteur et une autre par le Pape. J'avais donc deux fois plus de raisons que n'importe qui d'être attachée à l'indissolubilité de nos liens !

« Cependant, comme Margaret me plaisait bien, je lui ai donné un conseil. Je lui ai dit de s'installer avec Nick à l'étranger et de vivre comme s'ils étaient mariés. Qu'avait-elle à faire d'une formalité puisqu'elle-même m'avait confié être athée depuis l'âge de neuf ans ? Elle m'a écoutée. Aujourd'hui, je le regrette bien pour elle, mais je n'avais alors que de bonnes intentions. D'abord, cette jeune femme allait être heureuse, et ensuite, repris en main par une compagne de cette qualité Nick allait à coup sûr retrouver une conduite plus décente...

« Et, voyez-vous, j'ai d'abord cru que j'avais été bien inspirée. Nick et Margaret sont partis vivre en Italie, à Torcello près de Venise. Je n'ai jamais très bien compris pourquoi Nick racontait que Venise lui rappelait sa jeunesse à Saint-Pétersbourg où il avait été Cadet — ah, oui, j'avais oublié de vous le dire, il était élève officier quand la Révolution des Rouges a commencé... Mais peu importe. Il avait vraiment l'air très bien, à Torcello. Margaret me donnait fidèlement de leurs nouvelles, car je l'avais prise en amitié et je crois qu'elle me le rendait bien. A force de correspondre nous étions devenues presque intimes, et je me souviens très bien d'une lettre où, répondant à mes questions sur le sujet, elle m'assurait que "notre cher Nick avait complètement recouvré son équilibre et qu'il trouvait auprès d'elle tout ce qui lui fallait pour entretenir sa robuste santé". Je ne suis pas idiote Votre Honneur, et j'ai bien compris l'allusion. Elle voulait dire qu'elle aussi, elle aimait le lit et que Nick ne s'y ennuyait pas avec elle !

« N'allez pas croire que ça m'a blessée. Je ne suis pas bégueule et ce sont des choses que je comprends. D'ailleurs, moi non plus, dans nos premières années de mariage, je ne rechignais pas à la chose... Mais par la suite, notre affaire était devenue le plus grand intérêt de notre vie. Et nous n'avions plus beaucoup de temps pour penser à la bagatelle. Comme, à moi, ça ne manquait pas, j'estimais que Nick ne devait pas en être préoccupé non plus...

« Mais où en étais-je, Votre Honneur ?... Ah oui, je vous disais qu'au début j'ai bien cru qu'avec la pauvre Margaret, Nick avait enfin trouvé un thé à son goût !... Et cela a bien duré dix ans. Mais voilà qu'en 1973 — je vous rappelle, en passant, que ce Tartare du diable venait d'avoir 74 ans ! — voilà qu'il s'entiche d'aller en Pologne, revoir un cousin qu'il avait perdu de vue depuis 1916 et qui venait de retrouver sa trace. Margaret a commis, alors, une grosse imprudence : comme elle mourait d'envie de venir passer deux semaines à Londres, elle l'a laissé partir tout seul.

« Le croiriez-vous ? Il n'est rentré que deux ans plus tard ! A Lublin, il s'est emballé pour une Polonaise de vingt-six ans qui s'appelait Danuta et ne rêvait que de venir vivre à l'Ouest... Evidemment, c'est naturel, avec la vie qu'on leur fait là-bas !... Mais celle-là avait en plus choisi de vivre de l'argent de Nick ! Ils sont allés en Turquie, en Egypte, jusqu'en Australie. Une chance : il avait laissé à Margaret un pouvoir sur son compte en banque en Italie et elle n'a pas eu à en souffrir matériellement.

« Moralement c'est une autre affaire... Mais elle a beaucoup de dignité et elle n'en a jamais rien laissé voir...

« Et puis, voilà qu'au bout de deux ans, Nick s'est lassé de sa Danuta. Vous savez ce que c'est, Votre Honneur, les Russes et les Polonais, ça ne marche jamais très longtemps... Et il s'en revient à Torcello, toujours pimpant, même pas gêné.

« Moi, à la place de cette pauvre Margaret je l'aurais renvoyé d'où il venait. Mais non, elle, trop contente de pouvoir le reconquérir, lui ouvre les bras ! La voilà de nouveau folle d'amour comme Juliette de son Roméo en attendant que chante l'alouette !

« Moi, quand elle m'annonce son retour et que tout est reparti comme avant, je lui réponds de se méfier, d'être vigilante. On ne laisse pas la bride sur le cou à un cheval fou, disent les Irlandais. Pour ça, au moins, ils ont raison. Mais comme les années recommencent à passer sans heurts, elle croit qu'il s'est enfin assagi pour toujours.

« Parlons-en ! Les années ont passé pour elle, oui, pas pour lui. Je vous l'ai dit : cet homme-là était inépuisable. Quand j'y repense, ça ne m'étonne pas que dans sa jeunesse les Rouges n'aient pas pu l'attrapper. Ce qui me surprend presque, c'est qu'ils aient réussi leur satanée révolution avec un animal pareil dans le camp adverse !...

« Parce que Nick n'en avait pas fini avec ses frasques. Voilà un an, à quatre-vingt-quatre ans, savez-vous ce qu'il a encore fait ?...

« Vous dites, Monsieur l'Attorney, que c'est cela, justement, qui a conduit au crime que l'on juge ici, aujourd'hui ? Oui, c'est exact... Mais je vais tout de même vous l'expliquer, parce que je crains que cette pauvre Margaret ne vous ait pas tout confessé comme elle me l'a avoué à moi... Elle est si fière...

« Eh bien, il y a deux ans, Nick a rencontré une

Française à Venise. Ariane Dautrie ? Oui, c'est bien cela, Votre Honneur. Une touriste de vingt-huit ans qui se promenait seule en gondole parce qu'elle venait d'avoir une scène avec son mari. Il l'a enlevée dans son criscraft et le soir même, ils étaient à Rome ! Tous les deux, sans plus se soucier du mari de la Française que de la pauvre Margaret restée à Torcello !...

« Madame Dautrie était très jolie ? Je ne le nie pas, Votre Honneur. Mais Margaret, à cette époque-là, paraissait à peine quarante ans et je vous prie de croire qu'elle avait beaucoup plus d'allure que cette petite vendeuse de Paris qui était venue en Italie en voyage de noces et avait achevé sa lune de miel avec Nick ! Telle que vous la voyez, ici, Votre Honneur, cette pauvre Margaret n'est plus que l'ombre d'elle-même. Depuis qu'on l'a mise en prison, elle se laisse aller, se défait. Elle accepte son âge...

« A moins que ce ne soit la mort de Nick qui lui ait enlevé tout ressort ? Allez savoir, nous autres femmes, sommes si bizarres...

« En tout cas, je tiens à vous dire qu'elle a très mal supporté sa deuxième fugue ! Elle était si désolée, dans ses lettres, que je l'ai invitée chez moi, durant un mois. Oui, dans ma maison du Sussex ; c'était justement le moment de tailler les rosiers et je lui ai enseigné à le faire... Je lui ai aussi remonté le moral. Je lui ai montré quel monstre était cet abominable Nick, toujours aussi esclave de sa sensualité, quasiment pathologique.

« Et je ne lui ai pas caché que je regrettais bien de ne pas l'avoir mis hors d'état de nuire quand il vivait encore à Londres, sous le même toit que moi. Bafouée comme je l'étais, je l'aurais expédié de ma main chez Lucifer, que j'aurais été acquittée. Le crime passionnel, ça existe, non ?

« Tenez, Margaret, lui disais-je, le soir de cet anniversaire où je l'ai surpris, dans sa chambre, en train de... forniquer — Que Votre Honneur me pardonne, mais il n'y a pas d'autre mot pour qualifier l'activité à laquelle Nick s'adonnait avec cette grande impudique de Galloise — ce soir-là, donc, si j'avais eu le bon esprit de profiter de la situation pour lui casser le vase de Chine de son guéridon sur la tête, et si j'avais cassé sa tête du même coup, croyez-vous qu'il y aurait eu, dans tout le Royaume, un seul juré pour me désapprouver ?...

« Et je l'ai répété au moins vingt fois à Margaret : « S'il vous insulte une fois encore aussi grossièrement, faites-moi plaisir, cassez le vase et la tête avec. Et n'oubliez pas de cogner deux fois, une pour vous, et une pour moi !

« D'accord, Monsieur l'Attorney, elle s'est servi d'une bouteille, mais on n'a pas toujours un vase assez gros sous la main. Et reconnaissez que pour être injuriée, elle venait de l'être !

« Imagine-t-on autant de goujaterie ?

« Nicky revient pour la deuxième fois, après dix-huit mois d'absence. Il lui organise une soirée de fête, lui fait oublier sa trahison, retourne au lit avec elle. Là, elle lui offre le festival de tous les plaisirs de Capoue. Et, je crois vous avoir fait comprendre qu'elle était loin d'être inexperte... Plutôt artiste, même ! A chacun sa spécialité : moi j'aime cultiver mes rosiers, d'autres adorent faire les tartes aux pommes, Margaret, elle, aimait faire l'amour. Après tout, elle avait le droit... Quand ils ont fini, ils passent ensemble sur la terrasse, elle ouvre cette bouteille de champagne, lui en offre un verre, trinque avec lui à son retour. Et savez-vous ce que ce vieil impudent lui dit : « Au lit, Ariane, c'est tout de même autre chose que vous, Margaret ! »

« Alors, elle a tapé, Votre Honneur, avec ce qu'elle avait à la main, cette bouteille de champagne rosé qui était encore presque pleine. Et deux fois, comme je le lui avais recommandé. Il a été tué sur le coup ? Tant mieux, Monsieur l'Attorney ! Ainsi sa vilaine âme lubrique a pu filer droit en enfer sans perdre une seconde de plus sur cette terre où poussent mes roses...

« Moi, vous savez, je ne suis plus qu'une vieille dame, mais je suis soulagée d'un grand poids depuis que Nick a payé pour tous ses péchés.

« D'autant plus que, comme je n'avais jamais accepté le divorce, cette pauvre Margaret n'est même pas sa veuve. Sa veuve, c'est moi. Voilà au moins une obligation dont je l'aurai déchargée. Ce n'est pas la seule, d'ailleurs ; j'ai aussi veillé à ce qu'elle ne reste pas dans le besoin. Lorsqu'elle était venue chez moi, dans le Sussex, j'avais confié à Margaret le numéro du coffre, en Suisse, où je savais que Nick avait déposé la plus grosse part de sa fortune. Tout en lingots d'or et en titres au porteur, anonymes. C'était plus pratique et plus sûr. Avec tous ces gouvernements socialistes qui surviennent un peu partout, il vaut mieux être prévoyant ! Après avoir... assommé Nick, Margaret a filé en Suisse directement. C'est de là qu'elle revenait quand on l'a arrêtée, à Paris, à l'arrivée du train de Lausanne, trois jours plus tard. Elle avait tout récupéré et tout remis dans une autre banque sous un numéro bien à elle.

« Ainsi, cette pauvre Margaret pourra au moins vieillir sans souci après que vous l'aurez acquittée...

« Oui, Votre Honneur, je vous écoute... Vous dites que... Mais, Monsieur l'Attorney ne parlez pas en même temps que Monsieur le Juge... Vous dites que vous ignoriez ce détail ? Qu'il est très important ? Mais vous pouvez le faire vérifier. Il est absolument exact. Je n'ai rien inventé. La Bible le dit aussi dans ses proverbes : "Un témoin indigne se moque de la justice". Je ne suis pas un témoin indigne, Votre Honneur, je ne me moque pas de la justice. Je vous ai dit tout ce que je savais et j'espère bien qu'à présent que vous savez qui fut Nicolas Chikoff, dit Nick, vous allez juger cette pauvre Margaret avec l'équité qui lui est due.

« Si vous passez dans le Sussex, Votre Honneur, à Stonnington, exactement, je serai ravie de vous recevoir. Je vous ferai visiter ma roseraie. Et ne craignez rien : chez moi, il n'y a jamais de champagne, je le déteste. Encore un goût que je ne partageais pas avec cette pauvre Margaret... »

Ce ne fut pas le Juge, mais l'Inspecteur de Scotland Yard qui avait enquêté sur la mort de Nicolas Chikoff, qui se rendit à Stonnington chez Agatha, trois mois plus tard. Entre-temps, Margaret N. avait été reconnue coupable de meurtre avec préméditation, de détournement d'héritage et condamnée à la réclusion perpétuelle. Mais depuis la déposition d'Agatha, un soupçon hantait l'esprit de ce policier ; il se demandait si la vieille dame n'avait pas été, en réalité, l'auteur moral de ce crime.

« En effet, se disait-il, par ses discours elle n'a pas cessé d'en faire germer puis grandir l'idée dans l'esprit de Margaret. Elle a conduit celle-ci à le commettre sans qu'elle en ait même conscience. Et de la sorte elle s'est vengée tout à la fois de son mari et de celle qui avait tout de même connu auprès de lui des années de bonheur qui auraient dû lui revenir à elle, Agatha ! »

Ce plan était si diabolique que l'inspecteur avait souri lorsqu'il lui était venu à l'esprit : « J'ai trop d'imagination ! » avait-il pensé. Cependant l'idée n'avait cessé de le tourmenter et, un samedi, il avait décidé de rendre visite à Agatha. A tout hasard, sans autre préoccupation que de parler avec elle et de vérifier par lui-même si elle avait pu être de taille à associer, des années durant, autant de dissimulation à autant de machiavélisme.

Malheureusement il n'eut pas le loisir de s'entretenir avec elle.

Agatha était morte peu après la condamnation de Margaret. Elle avait été emportée par un accident cardiaque causé par un excès de médicament. Elle s'était apparemment trompée de dose. Cette erreur avait surpris le Sergent de police du Comté car la vieille dame usait de ces gouttes depuis longtemps.

« J'ai même pensé à un suicide, confia-t-il à l'Inspecteur. Mais je n'en ai pas trouvé d'indice. Comme il n'y avait aucun intérêt en jeu, j'ai clos l'enquête. »

Agatha avait, en effet, légué toute sa fortune (et celle de son mari) à des œuvres altruistes dont l'une se consacrait à aider les réfugiés d'Union Soviétique. De plus, peu avant sa mort, elle avait fait édifier un superbe caveau de marbre au cimetière de Stonnington où la dépouille de Nicolas Chikoff, rapatriée d'Italie, avait été inhumée. Elle-même y reposait, à présent, conformément à son testament, auprès de cet époux assagi, enfin, pour l'éternité.

Avant de regagner Londres, l'Inspecteur se rendit sur cette tombe. Au-dessus des noms des deux défunts, morts à quelques mois d'intervalle, il lut, gravé en lettres d'or : « Ce que Dieu a uni, l'homme ne doit point le séparer — Mathieu, VI - 19 ».

IV

LA FORCE DES MOTS

« Je viens de réaliser une chose assez horrible, c'est qu'un jour, mon chéri, tu vas sans doute finir par me tuer...

Regarde, tout à l'heure : à un centimètre près, c'était ma tempe qui frappait l'angle de la commode. A présent, au lieu de contempler, dans ma glace, cette grosse bosse bleuâtre qui gonfle, au milieu de l'estafilade que le bois a, en plus, ouverte dans mon front, je serais en train de chercher partout ma « petite âme d'enfant », comme tu dis, qui se serait échappée par le trou !

C'est vrai, c'est moi qui l'ai voulu, ce meuble anglais sinistre comme une étude de notaire. Mais je n'avais pas imaginé que l'acajou pouvait être aussi dur et que ses arêtes risqueraient de m'assassiner ! Je n'avais pas prévu non plus que tu pourrais un jour me précipiter dessus de toute ta force.

Tu sais que, sous le choc, j'ai vraiment vu des étoiles ? Exactement, une myriade de petites étincelles qui dansaient à une vitesse folle sur un fond absolument noir.

Notre esprit est vraiment bizarre. A cet instant-là je n'ai pas pensé que tu étais un vrai salaud (tu l'es quand même), ou que j'allais certainement m'évanouir, voire mourir. L'idée qui m'est venue a été : « Les particules, à l'intérieur des atomes, ça doit être exactement comme ça ! » Aussitôt après j'ai recommencé à voir ce qui m'entourait et j'ai aperçu ta tête ; c'est certainement ce qui m'a évité de perdre connaissance. Tu grimaçais de manière encore plus horrible que lorsque ton ulcère te ronge l'estomac, tu étais très précisément gris.

Drôle de tueur ! Tu ressemblais à un grand malade. Ne me crois pas, si tu le veux, mais sur l'instant ton visage m'a tellement surprise que j'ai eu peur. Pas pour moi, pour toi. Moi, j'avais bien eu ce choc, mais je ne souffrais pas encore. Si j'étais morte au bout de cette seconde-là, je serais partie en me faisant du souci pour toi.

Reconnais que j'aurais fait la plus gentille des victimes !

Rassure-toi, tout est rentré dans l'ordre depuis. Voilà une demi-heure que je me colle compresse sur compresse car j'ai une migraine de fin du monde. (J'ai peut-être une fracture du crâne ? Demain matin, tu vas peut-être me découvrir morte dans le lit !).

Et je commence à te haïr comme je crois bien n'avoir jamais réussi à t'aimer ! De tout mon cœur, de tout mon corps, de toutes mes pensées, de tous mes muscles, même. Je ne croyais pas que les sentiments pouvaient être à ce point charnels. Si j'en étais capable, j'irais tout de suite te flanquer la râclée la plus magistrale de ta vie. Mais tu es trop grand, trop fort. Je serais ridicule. Et tu as beau proclamer partout que la violence est imbécile, tu viens tout de même de me montrer que tu pouvais être idiot avec un naturel terrible !

... Je t'imagine, lisant cette lettre, ce soir, cette nuit, demain, plus tard. Tu penses que j'ai le ton bien badin pour parler de ce drôle de drame qui vient de nous tomber dessus ? Mais tu me connais : plus je suis émue, plus je plaisante. Et je t'accorde que, tout d'abord, j'ai tout fait pour te provoquer. Mais depuis six ans que je te connais (bientôt quatre que nous sommes mariés...) je n'avais jamais réussi à te mettre hors de toi.

Eh bien, voilà, maintenant c'est fait !

Et ne joues pas les hypocrites, tu sais très bien que depuis que tu connais Marie, tu as changé.

Moi aussi ? Oui. Je t'avoue que par moment je ne me reconnais pas. Tu as beau dire que Marie n'est, pour toi, qu'une expérience comme les autres, je suis certaine que tu t'abuses. Depuis la première seconde où je l'ai vue, je sais qu'elle va tout saccager. Avec ses grands yeux bleus de niaise, son petit front lisse, sa bouche qui ne bouge que pour sourire, jamais pour parler, son corps trop souple dont chaque pas est comme une promesse, Marie m'a glacée. Dès le premier regard.

Et Marie continue de me glacer chaque fois que je la vois. D'ailleurs, je te le répète, je ne veux plus la rencontrer chez nous, je t'interdis de l'amener ici. Tu peux me projeter une deuxième fois, à la volée, sur la commode, ça ne changera rien. Mais, ce coup-ci, prend garde quand même ; désormais je serai sur mes gardes et si je ne suis pas la plus forte, je peux devenir la plus habile...

Ne recommence pas à m'expliquer que Marie a tout juste dix-sept ans, qu'elle est encore presque une enfant, qu'elle va s'épanouir avec toi puis s'en aller, et que c'est précisément ce qui t'attache le plus à elle ! Ton côté Pygmalion rentré m'horripile !

Je te le dis : Marie est déjà très, très grande. Et il faut être naïf comme toi pour ne pas le voir.

Enfin, tu n'as jamais remarqué ce petit visage implacable qu'elle pose autour d'elle dès qu'elle ne se croit pas observée ? Elle a une force terrible, ta petite enfant pas épanouie ! Une force qui doit lui procurer tout ce qu'elle a décidé d'avoir. Et j'ai compris, dès le premier soir où je l'ai vue près de toi, qu'elle avait décidé de t'avoir, toi. Et pour elle seule.

Voilà pourquoi, moi, j'ai décidé de te garder !

Et je t'en prie, ne recommence pas ton discours imbécile de ce soir. Je ne suis pas « jalouse stupidement comme il y a cinquante ans », je ne tombe pas dans le « mélo-rétro » à la façon de ta grand-mère. Je suis très lucide, très réaliste. Depuis six ans, nous nous sommes tissé, jour après jour, une merveilleuse toile d'or faite de beaucoup de petites habitudes et de quelques grands partages. Et j'ai la faiblesse d'y tenir parce que, jusqu'à preuve du contraire, c'est ce que j'ai connu de meilleur, depuis vingt-six ans que je suis sur terre, en fait de bonheur.

Et si j'en crois ce que tu en disais toi-même, il n'y a pas si longtemps, tu as le même faible que moi pour notre vie. Du moins l'avais-tu avant de rencontrer Marie...

Elle m'obsède ? Sans doute, puisque je crois qu'elle a le regard de mon malheur... Mais non, je ne dramatise pas à plaisir, mon pauvre Francis. Je te vois, avec ta façon attardée de t'habiller, à trente-six ans, comme quand tu étais étudiant ; tes collections de B.D. d'avant-guerre et de vieux 78 tours, ton amour maniaque pour tes livres. Tu ne veux pas voir le temps qui passe. C'est bien pour cela qu'elle m'effraie autant, cette gamine : elle a l'âge que tu voudrais retenir.

Ah non ! Ne recommence pas à dire que, finalement, je ne peux pas la supporter parce que j'ai dix ans de plus qu'elle ! Très sincèrement, je sais que je suis plus jolie et que j'ai beaucoup plus d'allure. Je le lis à longueur de journée dans les yeux des hommes que je croise !

Et je sais que je suis aussi beaucoup plus intelligente. Cela, c'est encore dans les tiens que je le vois. Mais crois-tu que je vais pouvoir, désormais, les regarder, tes yeux, sans y retrouver le reflet de cette furie qui t'a pris, quand tu t'es jeté sur moi ? Crois-tu que tu vas pouvoir oublier que tu m'as détestée au point de manquer de me tuer ? Tu sais bien que non !

La vraie tragédie de la colère, ce n'est pas qu'elle nous entraîne à proférer des insultes, oser des gestes qui dépassent nos vrais sentiments. C'est que ces insultes et ces gestes laissent des traces irréparables. Autant dans celui qui les a commis, que celui qui les a subis. Des ressorts se brisent en nous-mêmes, qui ne se tendront jamais plus. On peut sans doute encore s'aimer. Mais autrement puisque, déjà, on n'est plus tout à fait les mêmes...

Tu te souviens ? Tu aimais à parler de notre « connivence » et moi, je te disais : « C'est comme une petite lumière qui nous éclairerait du dedans... »

Elle est éteinte, ma lumière douce, et nous ne sommes plus que d'obscurs complices : nous venons d'apprendre que nous pouvons aller ensemble jusqu'au meurtre. J'exagère ? Ton geste n'était pas calculé ? Ça n'a été qu'un accident ? Réfléchis bien. Et dis-moi si c'est aussi vrai que tu prétends le croire ! Dis-moi si tu n'as pas vu, dans un éclair, à l'instant où tu m'as poussée, que ma tête allait heurter l'angle du meuble, qu'elle risquait de s'y fracasser — et si, malgré tout, tu ne m'as pas jetée dessus de toutes tes forces ?

Tu n'as jamais voulu me tuer ? Sans doute, mais c'est pire : tu as laissé au hasard le soin d'en décider pour toi. Tu m'as projetée en avant comme on lance une roulette au Casino : les jeux sont faits, au destin de s'occuper du reste !

Mon destin ne m'a quand même sauvée que d'un centimètre ! Un centimètre : la distance qui, à cet instant, a séparé ma vie de ma mort, la scène de ménage du crime passionnel...

Je n'ai pas raison de dire que Marie va nous détruire ? Mais elle a déjà commencé !

Je parle trop ? Je réfléchis trop ? Je torture tant la réalité que je parviens à lui faire avouer n'importe quoi ?

Mais un centimètre, Francis, c'est très concret, très visible. Et si tu veux le mesurer, tu vas de mon bleu à ma tempe. Le monde du réel, c'est ça, non ? Pas du tout celui des idées folles et des raisonnements aberrants !

D'ailleurs, je me demande pourquoi je m'acharne à t'en convaincre. Je n'ai qu'à me souvenir de tes traits, à ce centième de seconde-là. Tu as eu si peur que cela ne pouvait être que pour toi-même — on ne peut pas être autant terrifié pour quelqu'un d'autre ! Tu vois ta vérité Francis : tu as été encore plus effrayé à l'idée de devenir un criminel qu'à celle de risquer de me tuer. Et dire que jusqu'à ces derniers jours, je t'appelais en riant : « Mon rempart », parce que ça faisait biblique.

Tu ne trouves pas que c'est assez angoissant de découvrir où nous voilà arrivés ? Merci Marie !...

Tu protestes ? Tu dis que c'est moi qui ai triché, pas respecté les conventions que j'avais moi-même instaurées ? Que je fais une fixation sur Marie pour des raisons qui relèvent de la psychanalyse et pas de la relation d'un couple équilibré ?...

Tu te défends. C'est déjà la preuve que ce que je

viens de te démontrer t'a mis plus mal à l'aise que tu ne veux le reconnaître...

Pour le reste, je vais essayer, enfin, de t'expliquer comment tout ça s'est déroulé — au moins pour moi. Tu vas peut-être finir par comprendre pourquoi ce que tu as dit de Marie m'a mise dans une telle fureur... Car je l'avoue : c'est moi qui ai été violente la première. Mais je m'en étais tenue aux mots.

Ils tuent aussi ? Sans doute, mais, eux, ils prennent leur temps. C'est déjà ça...

Oui, c'est vrai, c'est moi jadis qui en ai parlé la première, de cette satanée liberté ! C'est moi qui t'ai récité ses slogans : « L'orgasme est toujours solitaire. Je ne serai jamais ton plaisir, tu ne seras jamais le mien. Ce n'est donc pas sur cet échange qu'on bâtit une véritable intimité...

« D'ailleurs le désir ne se maîtrise pas plus que le vent. Il peut ne se lever qu'à peine quand on croyait croiser sa route, il peut surgir comme un orage là où on ne l'attendait pas... S'il y a une règle, avec lui, c'est de le vivre totalement chaque fois que sa tempête paraît belle !... »

Je me souviens même que ce soir-là, tu m'as appelée ta « caravelle » avec un drôle de petit sourire, comme si l'idée de mes courses pirates te rappelait d'autres horizons !

D'ailleurs, tu me l'avais assez dit que, puisque nous parlions d'amour, c'était surtout celui de l'esprit que tu voulais. « On est bien plus "réuni" quand on vit ensemble la force de la même émotion, quand on s'élève, de mot en mot, au faîte d'idées vertigineuses, quand on offre à l'autre toutes ses ressources pour l'aider à réaliser ce qui est le plus profond de ses rêves... Oui, on est bien mieux réuni que dans le plus joyeux délire des sens, dans la plus tragique folie de plaisir. Car là ce n'est jamais qu'un échange. Tandis que l'émoi de deux âmes, c'est comme un même don qu'elles reçoivent... »

Eh oui ; c'est ainsi que tu parlais — et même si je reconstitue, je suis sûre de retrouver tes mots, bel emphatique ! Et moi, je t'écoutais, comblée : tu disais tout ce que j'attendais, tout ce que je m'étais inventé de vérité dans ma cervelle de dix-neuf ans. Je n'étais pas vraiment convaincue de mon histoire de voilier et d'orages qu'il faut savoir suivre. Mais ça me plaisait bien de croire que j'y croyais ! Et quand tu disais qu'aucun être ne peut appartenir à un autre, que chacun est maître de soi, que nul n'a le droit d'aliéner autrui sous l'horrible prétexte qu'il l'aime, que c'était ravaler l'amour à un appétit de protozoaire : je t'aime donc je t'absorbe ! Comment voulais-tu que je réagisse, sinon en étant encore plus audacieuse que toi ?

Je n'avais pas vingt ans, tu en avais près de trente. Tu était déjà en pleine vie, avec tes histoires de scénarios de bandes dessinées, de films, de feuilletons, où tu semblais tout réussir. Moi je terminais mes études pour devenir documentaliste. J'avais vraiment toutes les raisons de chercher à compenser mes retards !

J'étais très jolie et ce seul avantage aurait pu suf fire à les combler ? Ce n'est pas faux, mais il y a peu de temps que je l'admets. Tu sais très bien qu'à cette époque-là, j'avais horreur d'être jolie ! Je voulais que l'on me reconnaisse pour ce que j'étais au dedans de moi. J'ai compris depuis qu'il existe entre les deux un échange si mystérieux que l'on pourrait juger de l'esprit rien qu'en observant un sourire. Et que ce n'est pas un hasard si le mot « grâce » désigne tout autant celle qui nous vient du ciel que celle qui rayonne des visages... Mais j'étais jeune. Je me croyais de l'expérience parce qu'après avoir raisonné de travers avec les idées des autres, je déraisonnais tout autant avec les miennes !

La vérité...

Oh, la vérité, vois-tu, aujourd'hui que je la regarde de loin, elle était si simple, si bête, qu'évidemment, sur le moment, « intelligents » comme nous nous voulions, elle ne pouvait que nous échapper.

Tu te souviens de la première fois où je t'ai dit que je « rentrerai tard » ? Nous n'étions pas encore mariés mais nous vivions déjà ensemble ; je venais de trouver mon premier poste, ça me passionnait, je me sentais enfin grande personne. Et puisque nous étions si acharnés à être libres, il fallait bien que j'accorde ma vie à nos idées. Je ne te l'ai jamais avoué, mais ce soir-là, mes doigts tremblaient sur le combiné du téléphone. En fait, sans me le dire, j'avais peur de ta réaction. Je ne savais pas si nos discours n'allaient pas voler en éclats sous le coup d'une colère terrible qui t'aurait soudain empoigné ; si tu n'allais pas interdire, crier, exiger, supplier même — comme n'importe quel mâle stupide et instinctif...

Mais tu n'étais pas n'importe quel mâle ! Tu étais déjà ce vieil adolescent plein de charme, qui savait respecter tous les aléas du cœur humain parce qu'il savait tout en comprendre. Et tu as dit : « Eh bien, je vais en profiter pour aller voir le dernier "Godard", puisque justement ça te rase... Passe une bonne soirée ma petite âme... »

Sur l'instant, tu m'as épatée ! Tu étais bien tel que tu disais, tel qu'en principe je voulais t'aimer. Un type super assurément... Je me suis sentie soulagée. Mais, dans la même seconde, sans que je puisse me l'expliquer, j'ai eu une espèce de tristesse qui ressemblait à de la déception. Je me suis dit : « Ce n'est pas croyable, quelle garce je fais ! Je crois bien que j'aurais préféré qu'il soit furieux comme un macho ! »

Et puis j'ai pensé à autre chose. Le vent se levait. Et j'ai passé une bonne soirée.

Mais aujourd'hui je me rends compte que ce petit mouvement de tristesse m'est toujours resté dans le cœur. Comme un goût de fiel qui vous abîme toutes les saveurs. Il s'est adouci avec le temps. Nous avons pris nos habitudes. Et je crois bien que c'est par attachement pour elles, pour les cautionner d'un contrat, que nous avons voulu nous marier. Ce qui prouve tout de même, au passage, que nous n'étions pas si certains de ce que nous nommions « notre bonheur » puisque nous éprouvions le besoin de le protéger alors que rien ne le menaçait.

Ah non ! Ne dis pas que je t'ai menti, que je t'ai joué la comédie pour paraître accordée à toi, que je me suis, au mieux, abusée en voulant t'abuser toi-même ! Ce n'est pas vrai. J'étais sincère. Je croyais de toutes mes forces aux idées qui réglaient notre vie. Et si j'en ai bien moins usé que tu le crois, c'est seulement que je suis très exigeante.

Corsaire, d'accord, mais seulement dans de grands combats. Après tout, chacun s'estime à la valeur de ses folies !

Ce soir, quand je te juge à l'aune des tiennes, je m'aperçois que tu as valu, durant longtemps, bien moins que moi. N'importe, d'ailleurs, je ne cherchais même pas à savoir quelles couleurs elles pouvaient avoir. Toi-même, t'en préoccupais-tu ? Je ne le crois pas. Tu dégustais en dilettante les surprises que t'offrait le hasard. Tu grapillais.

En réalité, au fond de toi, tu t'en foutais ! Je le voyais, va, et c'était plutôt rassurant. Mais je viens seulement de comprendre ce que tu as fait réellement, durant toutes ces années sans heurt : tu attendais. Oui, tu attendais.

Le savais-tu, l'ignorais-tu ? Je suis incapable de le dire, mais c'est éclatant aujourd'hui : tu attendais celle qui t'émerveillerait tellement que tu t'éveillerais enfin de tes songes creux, que tu te mettrais à exister, avec des passions qui vous mangent, vous transportent, vous éblouissent, vous donnent dans le même mouvement envie d'exister à jamais et de mourir de trop de bonheur. Celle qui ferait enfin de toi, stupide, banal, merveilleux, un homme d'autant de chair que d'idées... Et cet homme-là, tu es en train de le devenir. Tu en es parfaitement conscient : c'est lui, tout à l'heure, qui t'a fait te ruer sur moi et me jeter à travers la pièce. Et de te voir en colère pour la première fois depuis que je te connais m'a tellement abasourdie que j'en ai oublié de protéger mon crâne !

Voilà pourquoi je hais Marie.

Tu ne réponds plus, à présent, tu sais tellement bien que j'ai raison.

Je hais Marie, et, voilà une heure, quand je suis rentrée et que je l'ai encore trouvée ici, vautrée sur le tapis de ton bureau au milieu des planches de B.D. — et toi, à côté, la contemplant avec cet air si imbécile que prennent tous les hommes amoureux ! Eh bien, je l'avoue, mon pauvre Francis, j'ai explosé. En vous voyant, ainsi, tous deux, je me suis sentie comme une intruse. Comme si je n'étais pas chez nous, mais chez vous. L'espace d'une seconde, d'ailleurs, j'ai eu envie de vous ignorer, de m'en aller, de m'enfuir. J'aurais peut-être dû... Enfin...

Je n'ai pas eu le temps d'y réfléchir. Sans que je sache bien ce qui m'arrivait, je me suis retrouvée entre vous deux, criant, menaçant, gesticulant, disant à Marie : « Fous le camp ! », dans un vrai rôle de mégère comme je n'en avais jamais joué. C'était étrange : en même temps, comme dédoublée, je me regardais vous bousculer, vociférer, dans une petite partie de mon esprit où j'étais restée calme et froide, et où je pensais : « Voilà que je me comporte exactement comme ma mère, quand j'étais petite ! » Et j'avais plutôt tendance à trouver ça drôle...

Mais non je ne suis par schizo ! Toi et tes diagnostics, vous enverriez tout le monde à l'hôpital, avec votre psychologie de série TV. Je suis comme tout le monde : quand on se laisse aller à casser la vaisselle de rage, on choisit tout de même les assiettes ébréchées.

Ce qui m'a surprise, ç'a été de me laisser emporter par une telle fureur pour la première fois depuis plus de quinze ans. Les scènes de ma mère m'avaient inspiré une telle horreur que je m'étais toujours juré de ne jamais l'imiter. Je te l'ai dit souvent : c'est ton calme inouï qui m'a le plus attirée vers toi, quand je t'ai connu. Je ne m'étais jamais sentie aussi quiète, aussi rassurée.

Il faut l'avouer : ce soir, côté apaisement, ton image est plutôt ternie...

... Ma migraine ne s'arrange pas, tandis que j'écris. Si je ne tenais pas autant à achever cette lettre, pour que tu comprennes vraiment, cher Francise, les vrais motifs de mon comportement, je crois que je planterais tout ici pour aller...

Aller où, au fait ? Quand je suis allongée, c'est encore plus douloureux...

Tout de même, quand j'ai entrepris de virer Marie de chez nous — tu vois, je ne dis pas « chez moi », on continue tout de même d'être un « nous » quelque part — je ne m'attendais pas à te voir sauter sur moi comme un gorille ! Je ne savais pas que tu pouvais être aussi fort ; tu m'as catapultée dans la chambre avec la vitesse d'un CRS chargeant une manif de médecins.

Et pile dans la commode !...

Depuis je suis enfermée ici. Toi, tu dois regarder la télé, Marie étalée sur ta poitrine. Si je n'avais pas aussi mal...

J'allais écrire, bien platement, mal à la tête. Mais je n'ai pas que la tête laminée de souffrance, en ce moment. J'ai mal des pieds jusqu'aux cheveux, de la peau jusqu'au bout de l'âme. Ce n'est pas mon style, mais c'est ainsi. Je ne comprends rien à ce qui m'arrive, et je suis bien inconséquente de prétendre te l'expliquer. Je n'y comprends rien, mais je le sais : je crois bien que je vais partir, Francis.

Oui, oui, partir, m'en aller. Valises, taxi, « Allo ? Fabienne ?... Dis-moi, est-ce que tu pourrais... Oh, pas longtemps, quelques jours, le temps de trouver... Oui, m'héberger !... Francis ?... Oui, c'est ça, on... »

Voilà : partir.

Francis, nous allons divorcer.

Il ne faut surtout pas que je pense à tout ce que nous nous étions promis de faire ensemble et qui n'aura jamais existé. On croit que ce sont les souvenirs que l'on regrette quand on se quitte. Quelle sottise ! Le vrai déchirement, c'est de renoncer à cette multitude d'espérances que l'on s'était inventées ensemble, et qui nous faisaient avancer comme les petites lumières d'un village dans une nuit où l'on s'est perdu. D'un seul coup, elles s'éteignent toutes. On ne sait plus vers quoi avancer. D'ailleurs, on n'avance plus.

Nous n'irons pas à Madrid, durant deux semaines pour y explorer le Prado ; nous ne finirons jamais de tapisser la petite chambre du fond dont je voulais faire mon bureau ; nous n'irons pas en Cappadoce, ni à la Fête de l'Huma dont je t'ai toujours privé parce que, sincèrement, ce n'était pas ma tasse de thé ; est-ce bête : cette année, j'étais vraiment décidée à t'y accompagner... Nous n'aurons pas ce petit chat qui doit naître dans quinze jours, nous n'aurons pas, non plus, d'enfant, mais de cela je suis moins désolée ; j'avais depuis longtemps compris que tu te suffisais à toi-même ! Un autre enfant, un vrai, qui pleure la nuit et qui vous sourit à trois semaines, où aurait-il logé ici ? Ton enfance occupe toute la place...

... Excuse-moi juste un instant, je vais reprendre de l'aspirine...

Voilà, je reviens. Sais-tu ce qu'il y a devant moi, juste à côté du petit vase d'où me regardent trois roses séchées ? Il y a un verre empli d'eau.

Sais-tu ce que je viens de mettre dans cette eau ? Au moins le quart du flacon de gouttes que le médecin m'a ordonnées, il y a un mois.

Je le regarde. Je ne sais pas encore si je vais le

boire. Mais le geste paraît si simple, et l'eau est restée si limpide, que je ne parviens pas à croire que ça peut tuer en une demi-heure.

Pourtant j'en ai la certitude. Figure-toi qu'il y a trois jours, j'ai eu besoin, pour une recherche, d'aller consulter le « Vidal », à la bibliothèque du service médical. Naturellement, quand j'ai eu le nez dans ce répertoire de tous les médicaments en cours, je l'ai feuilleté, j'ai voulu voir ce qu'on indiquait à ceux qu'il m'est arrivé de prendre. Au nom de ces gouttes, on précisait : « Risque mortel par syncope et arrêt cardiaque au-delà de 0,5 mg. » On précisait même : « Soit 50 gouttes. »

Cinquante gouttes ! Là, j'ai bien dû verser cinq cents — ou cinq mille. Un geste vraiment spontané, irréfléchi. C'était un peu comme si une autre avait pris mes affaires en main, décidait, agissait pour moi, tandis que dans ma pauvre tête confuse, je continuais à hésiter, à ne pas savoir quel parti prendre. Exactement comme tout à l'heure quand j'ai voulu vider Marie : j'étais double, celle qui trépignait de rage et l'autre qui la regardait s'agiter, avec un petit sourire narquois...

Le plus drôle, c'est que machinalement j'ai tout de même apporté le tube d'aspirine !

Est-ce que je vais me tuer ?

Après tout je ne ferais que terminer ce que tu as raté de si peu, il y a deux heures.

Tout de même, mon pauvre Francis, ce soir d'il y a six ans où je t'ai téléphoné pour la première fois que je n'allais pas rentrer, si tu avais réagi avec la même énergie que tout à l'heure, pour défendre Marie...

Tiens, précisément, voici Marie qui entre. Mon Dieu, elle a une de ces têtes...

... Marie voulait de l'aspirine. Alors sais-tu ce que j'ai fait ? J'en ai déposé trois cachets dans le verre que je m'étais préparé, je le lui ai tendu. Elle a tout avalé d'un trait. C'est effrayant. Il n'y a pas une minute qu'elle est ressortie et je reste ici, sur ma chaise, incapable du moindre mouvement. Je veux me lever, aller vers vous, vous avertir, appeler le SAMU. Mais j'ai des nausées, des vertiges, je suis malade d'horreur. Mes oreilles bourdonnent comme si un essaim d'abeilles folles avait pris possession de ma tête... »

Après avoir tracé ces mots, Christine R., la femme de Francis, est allée s'allonger sur son lit où elle a perdu connaissance. Quelques instants plus tard Marie K., à son tour, s'est évanouie auprès de Francis. Affolé, celui-ci est d'abord venu demander de l'aide à sa femme. Il l'a jugée endormie, n'est pas parvenu à la réveiller, a pensé qu'après la scène qui venait de les opposer, elle avait eu recours à un somnifère, est retourné auprès de Marie et a aussitôt appelé des secours d'urgence. Ce n'est qu'en rentrant chez lui, au petit matin, après avoir passé la nuit à l'hôpital où Marie avait été placée en réanimation, qu'il a découvert le véritable état de sa femme. Celle-ci a succombé peu après à la fracture du crâne que lui avait causé le choc contre le meuble.

Marie, elle, a été sauvée après plusieurs jours de coma.

Cette affaire n'a pas eu de suites judiciaires graves. Francis a été jugé pour « coups et blessures ayant entraîné la mort sans intention de la donner » et a été condamné à une peine de principe assortie du sursis.

L'état de Marie a, par ailleurs, été attribué à une «tentative de suicide consécutive au choc moral qu'avait constitué pour elle la situation conflictuelle née de ses relations avec Francis et Christine R. Seul le commissaire de police a soupçonné la vérité, mais il n'a pu l'étayer d'aucune preuve. Après avoir repris conscience, Marie n'a, en effet, pas démenti la thèse de son suicide, affirmant qu'elle avait perdu tout souvenir des derniers événements ayant précédé son évanouissement.

La lettre de Christine R. à travers laquelle cette affaire est relatée ici, est évidemment apocryphe.

V

UN LIEN NOIR

« Tais-toi, Frédérique !... »

Michèle a dit « tais-toi Frédérique » mais aucun son n'est sorti de sa bouche. Elle l'a seulement crié dans sa tête. Il faudrait pourtant que les paroles passent ses lèvres, mais le froid qui, lentement, est en train de lui geler l'âme, paralyse ses mâchoires, sa gorge, son souffle même. En même temps, il creuse en elle un vide où elle a l'impression qu'elle va tomber sans fin.

Et Frédérique, que tout le monde surnomme « Fredie » pour faire plus féminin, parle. Petite boule de hargne recroquevillée sur son divan, elle ne sent pas encore son chagrin mais elle sait qu'il va dévaler, d'un seul coup, dès qu'elle ne l'endiguera plus de ce mur de fureur et de mots. Alors, elle retarde tant qu'elle peut ce moment où il va lui falloir souffrir...

« Tu ne peux pas me faire ça, Michèle ! Tu ne peux pas te marier avec ce type. Tu t'en fous de ce type, tu me l'as dit cent fois... Ton Thierry, c'est comme moi, Edouard, de la frime ! Pour les autres. Pour qu'ils ne devinent pas ce qu'on est. Non ? Tu as le culot de dire non ? Tu es vraiment une garce, une... »

Elle crie. Ses lèvres tremblent.

« Mais, enfin, c'est moi que tu aimes, Michèle ! Tu l'as juré, hein ? Et pas qu'une fois... Tu ne vas pas... »

Fredie parle mais Michèle est loin. A présent tout s'est anesthésié en elle. Ses yeux continuent de regarder son amie mais elle voit seulement les drôles de plaques grises dont la colère a marbré son petit visage triangulaire et elle les trouve vraiment laides. Elle se dit : « C'est étonnant que la peau puisse changer de couleur à ce point-là !... » Elle ne sait plus qui est cette petite brune de vingt ans, mince et brûlante, moulée dans son jean et son débardeur rose, acharnée à l'invectiver de ses reproches d'amoureuse trahie. Michèle est lisse, imperméable, fermée à tout ce qui l'entoure. Elle n'a même pas conscience que ses longs doigts fins aux ongles soigneusement lustrés de vernis pâle se mettent doucement à trembler. Elle n'est pas là...

Elle a neuf ans. Pour la première fois de sa vie, elle éprouve cet effroi glacé qui semble l'aspirer en elle-même. Elle vient de rentrer de l'école. Toute seule. Françoise et Annick, ses deux sœurs aînées, ne l'ont pas attendue. A la sortie de l'institution, Sœur Marie-Cécile, sa maîtresse, l'a retenue alors qu'elle quittait la classe : « J'ai vu que tu n'avais pas bien

compris ce qu'on a appris tout à l'heure. Reste un peu avec moi, je vais te l'expliquer à nouveau... »
« Oui, ma sœur. »

« Oui, ma sœur », « Oui maman », « Oui Françoise »...

Françoise est la plus grande de ses sœurs. Dix-huit ans, en terminale sciences. Elle commande Michèle sans arrêt, comme une cheftaine. Michèle ne se rebiffe jamais. Au contraire, elle éprouve une sorte de chaleur douce quand Françoise la rudoie ainsi ; à la maison, elle est la seule à s'occuper d'elle...

Michèle dit aussi : Oui, papa ! » Mais là, c'est un oui différent. C'est un élan qui la fait courir jusqu'à son père, attraper son cou, se nicher sur ses genoux, savourer sa main qui caresse doucement ses longs cheveux blonds. Et enfin, elle se sent vivante. Elle devine qu'elle pourrait galoper, sauter, crier, se battre, rire trop fort, taper du pied, avoir tous ses tableaux d'honneur, comme celles de sa classe qui n'arrêtent pas d'inventer des jeux pour les autres et de pouffer de rire pendant les cours... Mais son père n'est pas souvent là, il voyage sans cesse. Et lorsqu'il est à la maison il n'a jamais beaucoup de temps à lui donner : « Va, petite "Douce", il faut que je travaille maintenant... »

Michèle, alors, redescend sur la terre où, pour tous les autres, elle est seulement « la petite ». Presque personne. « Michèle, répète sa mère, c'est un ange. Elle est si calme qu'on ne sait même pas qu'elle existe ! »

Dans le brouhaha de cette maison de filles, Michèle

vit comme dans un nuage. Appliquée le soir, à bien ranger sa jupe d'uniforme bleu marine, à bien ranger ses cahiers, à bien ranger ses jouets. A bien se ranger elle-même...

Mais ce soir-là, après sa répétition impromptue avec Sœur Marie-Cécile, lorsqu'elle a poussé le portail de fer du grand pavillon où elle habite, lorsque le gravier de l'allée a crissé sous ses vernis noirs, Annick est soudain venue en courant à sa rencontre. Elle l'a prise dans ses bras — portée, presque. Elle pleurait : « Michèle, Michèle, c'est affreux, papa... »

Il était mort. Un accident, au loin, sur une route qu'elle ne pouvait même pas imaginer. Dans le salon elle a trouvé toute sa famille en larmes. Michèle a regardé le chagrin des autres et, seule, elle n'a pas pleuré. Mais elle s'est sentie lentement absorbée par ce vide glacial qui s'est creusé en elle pour la première fois de sa vie. Il a fallu des jours pour qu'un peu de tiédeur lui revienne enfin au cœur. Alors, un sanglot soudain a noué sa gorge, un soir, au moment de s'endormir.

Elle a pleuré toute la nuit en faisant bien attention à ne réveiller personne.

Le lendemain, elle a regardé la robe noire qu'on lui avait achetée pour l'enterrement de son père et qu'elle portait chaque jour, depuis. Elle l'a trouvée belle...

« Mais oui, maman, belle... »

C'est une autre scène, une autre robe noire, un an et demi, peut-être, après la mort de son père. Après le dîner, Françoise a pris Michèle aux épaules pour la faire tourner devant elle. Puis : « Maman, sa robe est vraiment petite. Il faudrait... » En acheter une autre ? Pas question ! La vie s'est rétrécie lentement à la maison. Il n'y a plus de femme de ménage ; la mère travaille. A dix minutes de l'Allée de la Seine, bordée de villas 1900 où Michèle et les siens habitent, dans le vieil Asnières, c'est vrai. Mais elle passe tout de même toutes ses journées dans cette boutique d'antiquités que le propriétaire, un ami, lui a confiée. Et le mot qu'on répète le plus souvent chez Michèle, à présent, est : « Impossible, c'est trop cher »...

Alors, pour la vêtir à sa taille, on va prendre la robe d'Annick, son aînée, à qui justement elle ne va plus. Un ourlet et le tour sera joué. « Mais elle est noire, celle-là aussi, dit sa mère, l'air gêné. C'est tout de même triste pour une petite fille... » « Mais non, maman, moi je la trouve belle. » « Vraiment ma chérie ? » « Mais oui, maman, belle... »

Pour lui faire plaisir, sa mère a ajouté elle-même un petit col de taffetas bleu ciel. Mais dès qu'elle est dans la rue, Michèle le dissimule sous la robe. Elle déteste cette tache claire qui lui fait comme un insupportable collier de bonheur...

Il y a près de dix ans de cela. Et ce soir, dans ce petit studio où Fredie l'invective comme un amant lâché, Michèle est encore tout en noir. Tout le monde croit qu'elle aime cette couleur parce qu'elle met en relief ses cheveux blonds qui lui tombent à présent jusqu'à la taille, son teint si clair que l'été lorsqu'elle est bronzée, elle a comme de l'or sur les seins. Elle-même a fini par penser que c'est le vrai motif de son choix. Mais en revivant son enfance, elle découvre qu'elle s'est trompée. Elle a choisi le noir, le matin où elle a regardé sa première robe d'orpheline. En portant cette couleur, depuis, elle n'a pas cessé de s'habiller de son chagrin...

D'un seul coup, elle retrouve celui-ci intact au fond d'elle, aussi fort et irrépressible que lorsqu'il l'a fait sangloter toute une nuit. Et des larmes lui montent aux yeux.

Fredie les remarque et se méprend :

« Michèle ma chérie, tu vois bien que... »

Elle saisit ses mains, les embrasse, lève vers Michèle ses yeux noirs, immenses, dont elle sait le pouvoir sur les autres. Elle essaie de l'attirer :

« Tu vois bien que tu ne peux pas non plus ! Ce serait atroce que tu me laisses... Je serais trop malheureuse, tu sais... Toi et moi... »

— Tais-toi, Fredie, murmure Michèle d'une voix presque inaudible.

Et elle retire ses mains de celles de son amie. Celle-ci, décontenancée, reste immobile sur le bord du divan. Elle est jolie, elle aussi, sous ses cheveux de garçon romantique dont une mèche en vague souple vient de retomber devant ses yeux. Nez aigu aux ailes palpitantes, lèvres chaudes, vibrantes, presque sombres sur le visage mat, silhouette mince qu'on devine bondissante. Elle regarde Michèle. Celle-ci se tient debout devant elle. Immobile comme une coupable. Mais impénétrable comme un juge.

« Mais dis quelque chose ! » hurle soudain Fredie, à bout de nerfs.

Michèle abaisse une seconde vers elle ses yeux d'un bleu incroyablement pâle. Les larmes s'y assèchent aussitôt. Elle ne sait plus ce qu'elle fait ici. Ce que signifient ces cris, ces pleurs. Elle se sent exactement comme lorsqu'elle était en classe...

Les professeurs parlent, parlent, s'acharnent à lui expliquer ce que toutes les autres comprennent. Mais elle a beau s'appliquer à les écouter, rien ne pénètre jusqu'à son esprit. Elle a l'impression qu'on veut lui imposer de force un monde qui n'est pas le sien. Elle sait bien des choses, pourtant, mais elle les a apprises seule, le soir, en lisant dans sa chambre tous les livres laissés par son père et qu'elle emprunte au hasard. Ou encore en rêvant après avoir regardé les feuilletons de la télévision. Mais elle n'ose pas en parler à la pension. Elle n'ose même pas en parler chez elle, avec ses sœurs. Françoise, à présent fait médecine et bûche quatorze heures par jour ; Annick vient de réussir son bachot et suit des cours d'informatique. Lorsqu'elles discutent ou plaisantent, Michèle a l'impression qu'elles ne pratiquent pas la même langue ! Parfois, elle essaie cependant de se mêler à leur conversation. Elle se fait rabrouer aussitôt : « Etre aussi ignare à quatorze ans, c'est vraiment affolant ! » s'esclaffe Annick. « Tu ne passeras jamais en troisième l'année prochaine, avec des lacunes pareilles », se désole Françoise. « Faut se résigner, raille Annick qui pratique l'humour garçonnier pour oublier qu'elle a un gros nez, elle sera du genre "jolie et bête". C'est classique ! »

Chaque fois sa mère la défend. « Laissez la petite tranquille ! Elle est très gentille. Elle fait tout ce qu'elle peut en classe et, en tout cas, à la maison... »

C'est vrai, à la maison c'est elle qui se dépense le plus.

Quand son père est mort, elle a compris, tout de suite, que la vie « d'avant » était finie. Mais comme elle déborde de force, elle l'emploie à essayer d'effacer, pour les autres, les effets de ce malheur. Elle astique, elle lave, dresse la table, cuisine même, dans le seul souci de voir la surprise de sa mère et de ses deux sœurs lorsqu'elles rentreront, fatiguées, de leur journée à l'extérieur. En plus, elle réussit très bien tous ces travaux. Beaucoup mieux que ses devoirs qui restent à la traîne sur sa table...

« Quel ange, tu fais ! » dit sa mère en la serrant contre elle. Mais cet instant ne dure jamais. Sa mère se reprend aussitôt, s'écarte : « Passons vite à table ! demande-t-elle. La journée n'est pas terminée. » On dirait qu'elle a peur de s'attendrir. Comme elle a peur de laisser voir à l'extérieur la gêne dans laquelle vit sa famille. Elle le répète dix fois par jour : « Il faut tenir notre rang... »

Pour tenir son rang elle garde cette villa trop grande, héritée de ses grands-parents. Elle en a condamné tout le deuxième étage, mais peu importe, elle est toujours dans la maison de sa famille...

Pour tenir son rang, elle détache, répare, repasse, rallonge, transforme, elle-même, les vêtements de ses filles et les siens...

Pour tenir son rang, elle se relève les nuits d'hiver afin de diminuer le chauffage quand toute sa maisonnée est au chaud sous les couettes ; et elle se relève encore, au petit matin, pour le relancer avant que ses filles ne se réveillent.

Pour tenir son rang elle va, chaque premier dimanche du mois, déjeuner avec ses enfants impeccables, chez ses beaux-parents qui admirent son courage. Et chaque année, elle assiste à la distribution des Prix, dont l'institution religieuse où est éduquée Michèle continue de faire une grande fête surannée.

Et pour tenir son rang, Michèle, droite dans ses robes noires au milieu des filles en jeans de velours et blousons de ski rutilants, invente parfois d'énormes mensonges face à ses amies plus comblées. « Cet été, on est allé chez un de mes oncles qui a une villa en Sicile, avec un yacht plus grand qu'un autobus ! » dit-elle, les jours de rentrée où les rangs bruissent des mots : « Baléares, Grèce, Maroc, Antilles... »

Alors qu'elle est, bien sûr, restée à Asnières.

« Mon grand-père va m'emmener à l'Opéra pour mes quinze ans. C'est facile : il a un abonnement et... »

Hélas, son grand-père est très vieux et ses revenus datent de sa jeunesse. Il n'a même pas de quoi lui offrir le cinéma, une fois par mois...

Elle s'invente, aussi, parfois, des amies imaginaires qui l'invitent à des soirées qui sont de vrais bals des débutantes. Mais elle refuse les invitations aux « boums » de ses compagnes de classe parce qu'elle ne veut surtout pas révéler qu'elle porte la même jupe le dimanche qu'en semaine. D'ailleurs elle a découragé toutes celles qui ont tenté de devenir ses amies. Elle devrait les recevoir chez elle et ne veut pas leur livrer les secrets humiliants du vieux réfrigérateur toujours vide. Elle se force à peine, au demeurant : à peine sortie de l'institution, elle n'aspire qu'à filer chez elle, réinventer à la seule force de son labeur, une maison qui rappelle le temps où son père y rentrait...

Mais elle vit tout de même avec cette obsession en elle : que personne ne soupçonne jamais la véritable situation de sa famille. C'est la préoccupation la plus importante de sa mère. C'est donc la préoccupation la plus importante du monde...

D'une détente, Fredie s'est levée. Elle est légèrement plus petite que Michèle mais à la façon dont elle se plante devant elle, énergique, carrée, sûre d'elle, il est manifeste que des deux, c'est elle qui domine l'autre. Elle saisit les revers de la veste de Michèle, avec une vivacité surprenante attire son visage vers le sien, plaque ses lèvres sur les siennes, essaie de les entrouvrir. Un instant Michèle, passive, n'oppose pas de résistance. Mais soudain, d'une poussée brutale, elle écarte Fredie, s'en détache, recule d'un pas. Malgré la finesse de ses traits, la perfection de sa beauté, son visage se nimbe d'une laideur à peine perceptible. Comme une grimace de douleur qui viendrait, en surimpression, voiler la douceur de ses courbes, creuser d'ombres les coins de la bouche, l'orbite des yeux.

« Arrête ! » intime seulement Michèle. Elle a une voix rauque, éraillée, qu'elle-même ne s'est jamais entendue. Fredie, malgré son emportement, ressent cette modification qui vient de faire apparaître devant elle, une inconnue tellement tragique qu'elle en fait peur.

« Arrête »... Exactement le mot qu'elle a eu le premier midi où Fredie l'a emmenée déjeuner chez elle pendant la pause de la mi-journée, au magasin. Michèle l'a dit spontanément, sans soupçonner son énorme banalité. Mais Fredie, bien mieux instruite qu'elle de l'éternelle vérité des filles, s'est bien gardée d'obéir. Et ce jour-là...

Ce jour-là, date de près de deux ans. Michèle en revoit pourtant chaque détail comme si elle les revivait de nouveau.

Elle a eu dix-neuf ans un mois auparavant et dans le magasin de vêtements où elle est vendeuse, M. Haller, le patron, a tenu à offrir le champagne en son honneur. Il a trinqué joyeusement avec elle et les cinq autres filles de la boutique. Puis, la fête finie, il a échangé quelques mots de plus, en aparté, avec Michèle :

— Tu sais, nous sommes vraiment très contents de toi, ma femme et moi, ma petite fille. Je l'ai encore dit à ta mère, avant-hier, en passant à son magasin...

Car les Haller sont tout à la fois des voisins et de très vieux amis de ses parents. Ils habitent une des villas de l'Allée de la Seine proches de la leur. Mme Haller y est née, comme sa mère ; toutes deux ont presque le même âge et y ont grandi ensemble avant d'y vivre avec maris et enfants. Quand le père de Michèle est mort, les Haller — Jean et Monique, dans la famille on ne les appelle que par leurs prénoms — ont beaucoup aidé sa mère. Depuis, fidèlement, comme c'était l'habitude auparavant, ils ont continué d'inviter la veuve et ses filles à dîner, les dimanches d'été où les soirées sont encore douces dans les derniers jardins de banlieue. Et c'est au cours d'un de ces dîners que sa mère a parlé de Michèle avec eux : « Les études, vraiment, ce n'est pas pour elle. Autant ses sœurs réussissent bien, autant elle n'arrive à rien en se donnant dix fois plus de mal. En réalité, ce qu'il lui faut, c'est un travail un peu manuel. Elle est jolie... »

— Ça c'est vrai ! a souligné Jean Haller avec un petit rire indiscret. Elle pourrait être mannequin, top model, actrice même !

— Allons, sois sérieux, l'a morigéné sa femme. Tu sais bien que ce ne sont pas des métiers pour nos filles ! J'ai l'esprit large, mais...

En trois répliques on en est venu à ce que sa mère voulait suggérer depuis le début : les Haller ne pourraient-ils pas l'engager comme vendeuse dans leur magasin de prêt à porter ? Avec eux, elle aurait l'assurance morale que Michèle serait à l'abri de tous les dangers que sa beauté va lui attirer à coup sûr. Et celle-ci aurait un métier, en attendant un mari. « Elle est si naïve que parfois je me demande si elle se rend compte de ce qu'est la vie, a commenté sa mère. Ce serait terrible si elle tombait entre les mains d'un "sale type". On voit assez ce genre d'histoires dans les journaux. C'est pour cela que je ne voudrais pas la voir travailler n'importe où... »

Les Haller ont dit « oui », tout de suite. On était en mai. Michèle a achevé l'année scolaire et, en juillet, a débuté chez eux. Le mois suivant, elle a eu juste dix-sept ans.

Tout de suite, elle s'est plu dans le magasin. Charmante, douce, patiente, elle a conquis tout aussi bien les autres vendeuses, plus âgées qu'elle, que les clientes. Souvent, elle a surpris les yeux de Jean Haller attardés à la contempler et elle a bien compris que ce n'était pas seulement la vieille affection qu'il lui portait depuis sa naissance, qui rendait son regard aussi vague. Mais, soit qu'il ait su repousser tout seul la tentation, soit que la présence de sa femme en permanence dans la boutique l'ait terrifié, Jean Haller a eu le bon goût de ne jamais tenter le moindre geste trop explicite.

Michèle a senti cela d'instinct, terrorisée intérieurement à la pensée de ce qu'elle ferait si jamais il osait sortir de son rôle d'oncle-ami. Car elle n'a aucune expérience de l'amour. Elle n'en sait que ce qu'elle a lu dans les romans hétéroclites amassés chez elle par trois générations des siens, ce qu'elle en a vu dans des films et les vagues rêveries que lui ont inspiré toutes ces passions de fiction. Quant à l'éducation sexuelle qu'on lui a dispensée en classe — sans parler des mises au point (et en garde !) qu'y ont ajouté ses deux sœurs — elle lui a paru concerner une fille qui ne pouvait pas être elle. Une fille qu'elle serait sans doute, plus tard, puisque c'était le destin de toute femme, mais qui lui était pour l'instant aussi étrangère que celles qui comprenaient, dans sa classe, les calculs de trigonométrie. Une leçon seulement l'a touchée : celle où on lui a expliqué comment un bébé grossirait un jour dans son ventre. Elle en a éprouvé un bonheur si intense que depuis, très souvent, elle pose ses deux paumes au-dessus de sa ceinture et les laisse là, longtemps, émerveillée d'elle-même. Mais l'idée qu'un homme doive, d'abord, y prendre part, ne l'a ni intriguée, ni énervée, ni écœurée, comme la plupart de ses compagnes. Cette obligation lui a simplement paru s'adresser à quelqu'un d'autre : celle qu'elle serait devenue quand elle serait mariée... Bien sûr, dès qu'elle a eu treize, quatorze ans et qu'en quelques mois elle a cessé d'être une fillette, elle a commencé d'attirer les garçons au lycée. Ils ont essayé de l'aborder, de lui envoyer des billets, de devenir amis avec d'autres filles de sa classe. Mais toutes ces approches l'ont glacée. Pour cacher qu'elle en avait peur, elle est restée froide et lointaine et les garçons ont eu vite fait de lui trouver le surnom qui les vengeait de leurs frustrations. Ils l'ont appelée « la bêcheuse ». Quand elle l'a su, elle n'a d'abord pas compris le mot. Françoise le lui a expliqué et l'a aussitôt rassurée : « Ne t'inquiète pas, va, ma jolie ! Ça prouve seulement qu'ils sont vexés parce que tu n'entres pas dans leur jeu. Mais, crois-moi, tu as bien le temps de t'enquiquiner avec les mecs ! » « Le temps de quoi ?... » « De t'inventer des chagrins pour rien, si tu préfères, grosse nunuche », a dit Françoise, avant de se replonger dans son manuel d'anatomo-pathologie.

L'année suivante, il y a cependant eu Manuel. Cet été-là, pour la première fois de sa vie, Michèle est partie en vacances sans sa famille. Elle allait juste avoir quinze ans et sa mère lui avait permis d'accompagner une de ses amies qui devait passer un mois en Vendée, sans son mari mais avec trois jeunes enfants. Les deux femmes étaient convenues que Michèle serait tout à la fois une compagnie et une aide pour la maman. Celle-ci avait été comblée : Michèle avait tout de suite pris en main la maison, les courses, les enfants, toute à la joie de montrer ce qu'elle savait faire. Si bien que l'amie de sa mère en avait profité pour disparaître de plus en plus souvent des après-midi entiers. Et Michèle gardait, sur la plage, les trois petits sans jamais les quitter des yeux. C'est ainsi qu'elle avait rencontré Manuel ; à seize ans, il remplissait auprès d'un petit frère de quatre, le même rôle de nurse des sables, tandis que ses parents faisaient de la planche à voile. Il était doux, un peu timide, et il avait fallu que son petit Hercule de frère entreprenne de casser sa pelle sur la tête d'un des trois marmots de Michèle, pour qu'il ose enfin l'aborder ! Mais, ensuite, ils avaient vite pris l'habitude de se retrouver chaque jour, à une extrémité de la plage où ils pouvaient laisser les gosses patauger dans un creux d'eau sans danger. Là, cachés entre des rochers, ils étaient aussi invisibles qu'au fond d'une grotte. Ils avaient discuté des petits, de la mer, des films que tous deux avaient vus. Et surtout des livres que Michèle aimait tellement et dont — coïncidence providentielle — Manuel connaissait un grand nombre. Elle se sentait bien avec lui et quand elle lui avait avoué : « Oh moi, en classe, je suis vraiment nulle tu sais. Je ne comprends jamais rien ! », elle avait osé en pouffer de rire pour la première fois de sa vie ! Il avait ri avec elle, et sans qu'ils sachent très bien comment, leurs visages s'étaient retrouvés tout près l'un de l'autre, leurs bras s'étaient noués à leur cou, leurs bustes s'étaient rapprochés, leurs lèvres, enfin s'étaient jointes. Michèle se laissait-elle guider par cet élan de gaieté soudaine, attendu depuis tant d'années, et qui s'exprimait enfin ? Imitait-elle, plus simplement, les gestes qu'elle avait vus mille fois, sur l'écran de sa télévision ? Elle-même n'aurait pas su le dire, mais elle avait fermé les yeux et s'était laissé transfigurer par ce miracle perdu depuis sa toute petite enfance : enfin, elle tenait un autre corps contre le sien, enfin un autre être la serrait dans ses bras. Ils étaient demeurés ainsi à se donner des baisers interminables et maladroits, durant un temps dont ils n'avaient pas eu idée. Si Manuel avait été plus entreprenant, il aurait pu, là, dans l'instant, la posséder. Michèle n'aurait rien refusé pour que se prolongeât, sans fin, cette douceur de ne plus être seule. Elle avait laissé les mains de Manuel glisser sur son corps, comme les vols de mouettes blanches que l'on voyait, au loin, caresser l'écume des vagues. Elle avait laissé leurs jambes s'emmêler, leur bouche s'entrouvrir timidement à la découverte du désir. Elle avait laissé son corps se glisser doucement sous celui de Manuel. Mais Manuel était tendre et pusillanime. Depuis qu'il l'avait aperçue pour la première fois, il était resté subjugué par la beauté de Michèle. De la sentir livrée à lui l'émerveillait tant qu'il n'imaginait pas de bonheur plus éblouissant. D'ailleurs, lui non plus n'avait encore jamais fait l'amour et, bien qu'il en eut souvent discuté avec ses copains, il ne savait pas exactement comment s'y prendre !

Il en était là de ses élans quand Michèle, comme une folle, s'était soudain relevée, avait couru jusqu'au creux d'eau où les enfants jouaient : l'une des petites filles qu'elle gardait avait basculé en jouant avec sa bouée passée autour de la taille, en sorte que c'étaient à présent ses jambes qui étaient à l'air libre et sa tête qui était sous l'eau ! Elle hoquetait, violette, quand Michèle et Manuel l'avaient étendue sur le sable. Plus de peur que de mal. Mais Michèle avait tenu à ramener aussitôt toute sa tribu à la villa. Elle était si bouleversée qu'elle n'avait même pas dit « à demain » à Manuel en le quittant. Pour elle, cependant, il allait de soi qu'ils se retrouveraient. Mais le lendemain ni Manuel, ni ses parents n'étaient apparus sur la plage. On ne les y avait pas plus vus les jours suivants. Michèle avait compris qu'ils étaient repartis chez eux et qu'elle ne retrouverait jamais l'adolescent : ils ne s'étaient même pas confié leurs noms de famille...

Le chagrin qu'elle en avait eu, elle n'avait pu le dire à personne car personne ne l'aurait compris. Mais c'était un peu comme si, après ces cinq années usées à oublier qu'on pouvait être fou de bonheur à seulement sentir sur sa nuque la main d'un autre être, on le lui avait rappelé un instant. Pour mieux lui faire éprouver ensuite qu'elle avait perdu ce paradis... Et la crainte de réveiller encore cette souffrance assoupie au fond d'elle, mais qu'elle y savait ancrée à jamais, avait renforcé son besoin instinctif de fuir les garçons.

« Tous obsédés ! » ricanait alors Annick quand elle rentrait de son cours, à Paris, se vantant sans vergogne de ses succès pour oublier qu'elle en avait trop peu...

« Tous obsédés ! » s'était mise à répéter intérieurement Michèle, sans bien mesurer la vraie nature de l'obsession. Mais il faut dire que les regards dont la gratifiaient les hommes, dans les années qui avaient suivi, l'acharnement des jeunes gens à tenter de l'aborder, lier connaissance avec elle, avaient confirmé ce jugement sans nuance.

« Les types, ils ne pensent qu'à coucher ! » se scandalisait aussi sa sœur. Michèle savait bien l'étrange gymnastique que sous-entendait ce mot ;

elle en avait vu maintes images. Mais elle était incapable d'imaginer ce qu'elle représentait exactement pour une fille ; et surtout, elle ne voyait pas en quoi c'était si révoltant. Elle pensait à Manuel, l'autre été, sur la plage. Elle savait que s'ils avaient pu continuer à s'embrasser, cet après-midi-là et aussi les suivants, elle aurait, à coup sûr, « couché » avec lui. Elle n'éprouvait aucune honte d'avoir failli le faire. Si elle s'appliquait à y penser le moins possible c'était seulement parce que ce souvenir lui donnait envie de pleurer...

Et voici qu'elle a dix-neuf ans, qu'elle est vendeuse et que Jean Haller lui dit combien il est content de son travail, de sa tenue, de son sérieux. « Qui sait, ajoute-t-il, on finira peut-être par ouvrir d'autres magasins. Alors crois-moi, ma petite Michèle, si tu es encore avec nous, la première gérance sera pour toi ! En attendant... »

En attendant, il vient d'engager une nouvelle vendeuse. Elle commence demain. Elle s'appelle Frédérique Hainaut. Elle a vingt ans. Elle vient de Lyon. Elle vit seule dans un petit studio à deux pas d'ici. Un ami la lui a recommandée. Et il demande à Michèle de l'aider à se mettre au courant de leurs rayons. Il suggère même qu'elle s'occupe un peu d'elle, si elle sent qu'elle en a besoin. « Elle n'a pas eu de chance, elle non plus, dit Jean Haller, hochant la tête. Ses parents ont, paraît-il, divorcé quand elle était petite. Son père est parti on ne sait où. Sa mère s'est remariée. Mais la fille ne s'est pas entendue avec son beau-père. A dix-huit ans, elle a planté tout le monde pour venir vivre à Paris. Elle était dans la chaussure mais elle a perdu sa place il y a un mois. Heureusement, pour nous ça marche toujours bien. Et comme j'avais besoin de quelqu'un, elle en a profité. Mais les premiers temps, il faudra que tu lui montres un peu tout. Les talons aiguilles et le prêt-à-porter, ce n'est tout de même pas la même chose !... Et ne t'inquiètes pas : elle est aussi d'un très bon milieu. J'ai eu les meilleurs renseignements sur elle. Sinon, je ne te demanderais pas de la fréquenter, tu penses bien... »

Durant quelques secondes il a considéré Michèle en souriant. Mais, en lui-même, il s'est demandé s'il était possible qu'elle fût bien celle qu'elle paraissait : ravissante, dévouée, toujours vierge — une sainte, en somme ! Ou si elle menait, en secret, quelque deuxième vie ignorée de tous, que ses propres fantasmes avaient, l'espace d'un instant, peuplée de vertiges effroyablement érotiques !

Il y a un mois que Frédérique est arrivée au magasin. Dès le premier regard, Michèle a été surprise de la trouver aussi gaie, rieuse, amusante. Et jolie... Elle l'appelle « Fredie » comme tout le monde. Elle n'aime pas ce surnom, d'ailleurs, mais puisqu'il est tout de suite devenu d'usage dans la boutique, elle n'a pas voulu se singulariser.

Fredie est le contraire de Michèle. Elle parle beaucoup et de tout ; elle est active, tonique, sans cesse en mouvement ; elle rit tout le temps, fait, en cachette, sur les clientes, des mots si drôles que son amie doit se cacher dans les rangées de robes ou de manteaux pour dissimuler ses fous-rires. M. Haller, parfois, s'attarde à les regarder et il se dit que, finalement, c'est peut-être Michèle qui va profiter le mieux de cette amitié qu'il a suscitée sans y penser. Depuis que Frédérique est arrivée, le sourire de Michèle est devenu plus net, plus éclatant. Avant, son visage semblait toujours voilé d'une espèce de brume de tristesse. A présent, on dirait qu'elle accepte enfin de l'offrir au soleil.

Et le soir, quand elles partent toutes les deux, bras dessus, bras dessous, leur patron rit en voyant la tête des automobilistes qui les croisent. Un soir, l'un d'eux, comme fasciné par leur jeunesse, est même rentré dans la voiture qui le précédait !

Il y a quinze jours à peine que Fredie est là. Michèle a pris l'habitude de l'embrasser, légèrement, sur la joue quand elle la quitte, devant son immeuble — un gros bloc moderne et gris où ses vingt mètres carrés de studio sont nichés au douzième étage, face à la Seine. Mais au moment où Michèle va effleurer sa joue, Fredie, brusquement, tourne la tête et embrasse furtivement ses lèvres. « Qu'est-ce que je t'aime, toi ! » murmure-t-elle. Puis elle se retourne, s'enfuit, disparaît dans la pénombre du hall... Michèle reste stupidement à regarder la porte de verre. Elle n'a aucune réaction. Elle sait vaguement qu'il survient que des filles s'aiment entre elles, ou des garçons entre eux. Mais cette idée n'a jamais eu de réalité pour elle. Est-ce possible que Fredie...

D'abord elle reste incrédule. Son amie lui a confié qu'elle avait un homme dans sa vie. Un certain Edouard qui était en ce moment en stage en Angleterre mais qui allait revenir à la fin de l'année. Elle ne lui a pas caché qu'elle dormait avec lui et qu'il y avait longtemps qu'elle « connaissait l'amour physique » ! Alors que pouvait signifier ce baiser entre deux portes ?

Enfin, Michèle reprend lentement le chemin de sa maison. Elle se sent triste, abattue. Une fois encore, on vient de briser la gaieté qu'elle avait juste retrouvée. Va-t-elle se priver de Fredie ? Ou bien, pour conserver la joie qu'elle lui dispense, va-t-elle être contrainte de la laisser l'aimer, de cette façon bizarre, inconnue, qu'elle vient de lui faire entrevoir ?...

Le lendemain matin, au magasin, le regard de Fredie a évité celui de Michèle, même lorsqu'elle lui a dit bonjour, du bout des lèvres. Michèle n'a pas su, d'abord, quelle contenance adopter. Puis, d'un mouvement spontané, direct, qui l'a soudain surprise elle-même, elle a planté deux bises sonores sur les joues de Fredie. Celle-ci s'est éclipsée sans relever les yeux. Mais un moment plus tard, alors qu'elle allait replacer un manteau dans la réserve, Michèle a senti une main saisir la sienne, la presser. Et elle a vu Fredie la porter à ses lèvres et l'embrasser, passionnément.

« Tu es folle ! Si quelqu'un nous voit... ! » s'est alarmée Michèle en retirant sa main.

Elle ignorait encore combien les filles peuvent être plus téméraires que les garçons quand elles ont décidé de devenir conquérantes. Et plus rusées !

La journée était étouffante. A midi les Haller ont fermé le magasin et annoncé à leurs vendeuses qu'ils ne rouvriraient qu'à seize heures trente : « Avec une chaleur pareille, on ne verra pas un chat avant... »

Michèle se préparait à rentrer chez elle quand Fredie a surgi à son côté.

« Viens, on va déjeuner chez moi. Mon studio est frais comme s'il était climatisé. Tu vas voir, on sera... »

— Ecoute Fredie, il faut qu'on s'explique !

— Oublie tout, j'étais un peu folle. Mais je tiens à toi. Je ferai tout ce que tu voudras pour qu'on reste amies.

Elle a marqué un silence. Puis ironique :

— ... et rien de ce que tu ne voudras pas ! a-t-elle jeté avec un petit rire acide. Mais je t'en prie, ne joue pas les pucelles ! C'est d'une autre époque tout ça. Sois de la nôtre ! C'est comme les jeans : aujourd'hui on est unisexe !

Comme toujours, le bagout de Fredie a si bien enjôlé Michèle qu'elle s'est retrouvée dans son studio, sans avoir trouvé une seule phrase à lui opposer. D'ailleurs, elle avait plutôt envie de rester près d'elle...

Fredie l'a fait rire, Fredie l'a bouleversée en pleurant à l'idée de la perdre, Fredie l'a attirée contre elle. Fredie ne lui a pas laissé une seconde pour réfléchir, Fredie l'a subjuguée, emportée, saisie, étreinte, renversée, Fredie l'a conquise.

Quand ses mains, tremblantes d'impatience, ont commencé de la débarrasser de son corsage, puis se sont glissées sous sa jupe, Michèle a eu ce mot banal qu'elle disait, pourtant, pour la première fois de sa vie : « Arrête... »

Mais un moment plus tard, elle a éprouvé ce plaisir qu'elle avait l'habitude de se procurer à elle-même, depuis des années, et qu'elle croyait le plus grand secret de sa solitude. Et elle a découvert qu'il pouvait être transfiguré d'être reçu de quelqu'un d'autre.

Lorsqu'elles sont revenues ensemble à la boutique, Michèle, bizarrement, a été gênée de sentir le bras de son amie serrer le sien. Il lui semblait que tout le monde allait deviner ce qu'elles venaient de vivre ensemble. Et c'était aussi honteux que si sa mère l'avait surprise lorsqu'elle se caressait, la nuit. Ou que si tous leurs amis avaient su combien elles pouvaient être pauvres.

Et Michèle a vécu désormais partagée entre ce bonheur acide qu'elle trouvait auprès de Fredie, et la hantise que l'on découvre la vraie nature de leur amitié. Attendrie pourtant : chaque matin, Fredie lui glissait un mot d'amoureuse dans sa poche ; et chaque matin Michèle lui répondait par un autre billet tout aussi passionné. Cependant lorsque, six mois plus tard, Fredie, mal à l'aise, lui a annoncé le retour d'Edouard à Paris, elle en a éprouvé un grand soulagement.

« Si tu le veux, a proposé Fredie, je le balance ! Moi je n'aime que toi. Je veux qu'on reste ensemble toute la vie.

— Mais non, a protesté Michèle. Revois-le tant que tu voudras. Au contraire, comme ça...

Elle a hésité une seconde, sentant l'énormité de ce qu'elle allait proposer. Mais Fredie a achevé sa phrase, avec un petit pli de tristesse au coin du sourire :

— Comme ça, personne ne devinera qu'on couche ensemble, c'est ça que tu veux dire ?

— Oui, a murmuré Michèle.

Elle est devenue toute rouge.

Car elle sent, de plus en plus clairement, qu'un mensonge effrayant est en train de s'établir entre Fredie et elle. Au début, elle a éprouvé une sorte d'ivresse insatiable à découvrir que le plaisir pouvait se partager, s'offrir, être reçu d'autrui. Elle s'est avancée, étourdie, dans le monde inconnu de sa sensualité. Mais l'exaltation en est lentement retombée. Elle adore la gaieté de Fredie, la présence de Fredie, elle s'attendrit de ses roueries, même. Mais elle sait qu'elle ne l'aime pas d'amour. Et lorsqu'elle éclate sous ses mains, c'est comme dans un jeu qui la renvoie à sa solitude. Son amie est si passionnée, si habile à causer son trouble qu'elle ne lui résiste jamais. Mais dès que ses nerfs sont retombés, elle retrouve aussi, de plus en plus pressante, l'idée qui à présent la hante jour et nuit : que nul ne sache jamais ce qui la lie à Fredie ! Et, avec le temps, son plaisir même en est de plus en plus souvent terni. Elle n'avait pas encore osé se l'avouer à elle-même, mais elle vient d'en prendre conscience, à l'instant, quand Fredie lui a dit, avec sa passion sans limite : « Je veux qu'on reste ensemble toute la vie... » Elle, Michèle, juge ce rêve insensé. Et si elle est comme soulagée par l'annonce du retour d'Edouard, ce n'est pas seulement parce qu'il permettra à Fredie de donner le change. C'est aussi parce qu'elle pense qu'Edouard finira par garder Fredie pour lui seul. Et elle espère qu'alors elles en reviendront à ce qu'elle aurait voulu ne jamais quitter, une bonne amitié entre filles.

Mais elle voit Fredie si entière, si habitée de cet amour fou qu'elle lui inspire ; elle craint, aussi, tellement, la violence de sa révolte si elle lui avoue ses pensées, qu'elle n'ose pas y faire allusion. Pire même : elle se sent coupable de ne pas l'aimer réellement, comme elle le lui répète pourtant quand elle est tendue dans ses bras. Et elle s'applique à ne rien trahir de la vérité de ses sentiments.

Souvent elle se souvient de Manuel. Elle n'a guère reçu, auprès de lui, que l'ombre ténue du plaisir que Fredie lui a révélé. Et pourtant, elle commence à se dire que c'est cette ombre-là qui avait le vrai goût de son bonheur...

Elle le sait avec certitude, en ce soir où toutes deux s'affrontent. Car tandis que Fredie reprend son intarissable chapelet de reproches, Michèle ne pense qu'à Thierry.

Thierry est apparu dans sa vie un mois auparavant et Michèle ne veut plus exister que par lui. Elle vient d'annoncer à Fredie sa décision de l'épouser et c'est ce qui a déchaîné la fureur désespérée de son amie...

Le retour d'Edouard, trois mois auparavant, ne lui a pas posé de problème : Fredie lui a accordé, de temps en temps, quelques-unes des soirées ou des week-ends que Michèle ne passait pas avec elle. Et c'est Michèle qu'elle a continué d'aduler.

Mais un dimanche, Thierry est venu dans la maison d'Asnières, amené par le copain-fiancé de Françoise. Vingt-six ans, en dernière année de médecine. Lorsqu'il a aperçu Michèle, ses yeux se sont un peu arrondis, comme sous l'effet de la surprise ou comme s'il l'avait reconnue ! Et Michèle est restée une ou deux secondes, à le regarder, sans mot dire, avant de penser à lui tendre la main...

Et puis... Elle ne sait plus très bien ce qui s'est passé, cet après-midi et cette soirée-là où les deux amis de sa sœur sont restés chez elle jusqu'à près de minuit. Elle se souvient seulement qu'elle n'a pas arrêté de rire et que Thierry riait avec elle, lui aussi. Jamais elle ne s'était tant dépensée pour offrir à boire, à dîner, veiller à combler chacun d'attentions. Mais jamais plateaux, verres, bouteilles, ne lui avaient semblé si légers. Et jamais elle n'avait elle-même eu cette impression de danser, immatérielle comme si elle avait été suspendue en apesanteur, en s'affairant de l'un à l'autre...

Thierry lui a téléphoné le lendemain, au magasin.

Il l'a invitée à l'accompagner au théâtre le vendredi suivant. Elle en a reçu une telle joie qu'elle en a parlé à Fredie. Aussitôt, le visage de celle-ci s'est fermé.

« Tu es amoureuse de lui ?... »

Michèle a failli crier « oui », mais voyant les traits de son amie, bouleversés, tirés comme par une maladie subite, elle s'est retenue. Elle a redouté que Fredie cause un scandale dans la boutique. Et elle a aussi reculé devant l'idée de la faire souffrir. Car elle a, malgré tout, une grande tendresse pour elle. Et chaque soir, elle fait des vœux pour qu'elle sache désormais se contenter du seul bonheur d'aimer Edouard. Alors elle a glissé, souriante : Il est très gentil. Et puis, ça paraîtra tout de même plus normal à tout le monde que j'aie moi aussi un garçon dans ma vie. A mon âge, ça devient une urgence ! »

Elle s'est esquivée en riant. Mais quand Fredie, au déjeuner, a voulu l'entraîner chez elle, elle a inventé un prétexte : « Impossible, je dois faire une démarche pour maman, à la mairie, et passer d'abord chez moi... »

« Alors demain ? Tu me promets ? » « D'accord, demain... Mais oui, je te le jure... »

De réticences en concessions, les semaines ont effilé l'affection de Michèle pour Fredie. D'autant que Thierry a très vite occupé de plus en plus de place dans ses pensées et dans son temps. Copain, d'abord, plein de prévenances un peu surannées, juste comme en rêvait Michèle. Copain-tendresse, bientôt, avec le flirt à fleur de lèvres. Copain-passion, enfin, le samedi soir où il a proposé à Michèle de venir écouter ses disques, chez lui. Et où, elle lui a répondu un « oui » si spontané qu'il voulait surtout dire « enfin » !

L'amour est un prodige banal mais c'est un miracle toujours neuf.

Michèle n'est pas rentrée chez elle: Thierry a été stupéfié en découvrant qu'elle était vierge mais il a eu l'esprit de n'en rien montrer. La nuit a effacé le fantôme léger de Manuel, les empreintes plus brûlantes de Fredie. Et Michèle, entre deux étreintes, a parlé comme jamais de sa vie.

Lorsqu'elle s'est éveillée, Thierry était déjà levé...

Enveloppée jusqu'au cou dans son peignoir de bain blanc qu'elle a trouvé au pied du lit, elle s'avance dans l'appartement. Il est immense, chaud, cossu, avec des moulures au plafond, des recoins de pénombre douce, des meubles anciens. Enfin elle aperçoit Thierry. Il est assis à son bureau et déjà occupé à travailler. Elle va vers lui, il ouvre les bras, elle s'y glisse, se laisse tomber à genoux à ses pieds, pose sa joue le long de sa jambe qu'elle serre de toutes ses forces. Et lentement la main de Thierry commence à caresser sa nuque...

Michèle voudrait crier sa joie. Enfin elle va pouvoir danser, courir, chanter, porter du vert ou du rose pâle, tout comprendre, cavalcader dans la campagne, rire à mourir.

Enfin elle vit.

« Je dois filer à l'hôpital, murmure Thierry, mais je serai libre à midi. Veux-tu que je te dépose chez toi, c'est sur ma route ? Ou préfères-tu m'attendre ici ?... »

— T'attendre ici.

Elle l'a suivi jusqu'à la porte de noyer sombre. Sur le seuil, il a pris son visage entre ses mains, l'a contemplée. Puis, très lentement, il a dit : « Tu sais, si on ne se marie pas, très vite, on risque de gâcher nos deux vies ! Tu es d'accord ? »

Michèle n'a rien pu répondre. Lorsque la porte s'est refermée, elle est restée comme pétrifiée, pieds nus sur le tapis de l'entrée. Puis elle s'est laissée tomber dans une grande bergère de cuir et elle s'est mise à pleurer. Il y avait trop longtemps qu'elle n'avait pas été heureuse et la surprise était trop forte...

Fredie a vite pressenti que Michèle était devenue une autre, mais elle s'est refusée à l'accepter. Elle a feint de croire aux prétextes que son amie a inventés jour après jour pour ne pas la suivre chez elle. Mais c'était une comédie impossible à jouer très longtemps. Ce soir, enfin, Michèle a rejoint Fredie dans son studio. D'une voix très douce, elle a commencé à expliquer ce qui vient de lui arriver. Machinalement elle a retiré son imperméable, l'a jeté sur un bras de fauteuil et a déposé à côté le lien de cuir libre, qu'elle noue dessus pour le fermer.

Elle a le visage tendu, grave. Elle voudrait que Fredie la comprenne, l'approuve, n'ait pas de chagrin. Elle s'applique à trouver des paroles qui ne la blessent pas, des mots qui épargnent sa peine. Mais sous le ton plein de douceur on sent la détermination implacable et Fredie ne s'y trompe pas. Elle ne veut pas se l'avouer mais elle sait déjà, de tout son instinct, que Michèle est perdue pour elle. Que plus jamais...

Plus jamais ? C'est un interdit qu'elle n'a jamais admis, un renoncement contre lequel elle s'est toujours révoltée.

Plus jamais, Michèle ? Sûrement pas !

Alors elle a crié, tempêté, injurié. Elle s'est débattue comme un petit renard pris dans un piège. Elle a libéré toute la violence qui bout en elle. Elle a été déchirante, cruelle, vulgaire, pathétique.

Michèle est devenue plus pâle ; elle a dit pour la première fois : « Tais-toi, Fredie... » Car elle a eu honte que leur tendresse s'achève dans ces trivialités.

Mais Fredie n'a pas pu renoncer à parler. Elle a continué d'invectiver son amie. Elle a tenté de la troubler par tous ces souvenirs si récents que leur plaisir avait tressé entre ces murs où, aujourd'hui, elles se déchirent. Michèle a encore répété : « Tais-toi Fredie. » Si elle l'avait pu, elle aurait ajouté, « je t'en supplie ».

Car ce que lance Fredie, à présent, est horrible. Elle dit : « Et si je racontais à tout le monde ce qu'on a fait ensemble depuis un an ?... »

Michèle, d'abord, veut la fuir. Elle saisit son imperméable, le passe en hâte, prend le lien qui doit le ceinturer...

« Si je le disais à ton Thierry, crois-tu qu'il t'épouserait encore d'aussi bon cœur ? »

Michèle s'immobilise. Ses bras retombent le long de son corps. Elle sent ce froid qu'elle croyait oublié, l'envahir, la transformer en une sorte de statue dure, insensible. Elle arrive encore à répondre : « Dis ce que tu veux. Je jurerai que tu inventes tout ! »

Fredie ne paraît pas l'entendre. Elle comprend qu'elle a touché juste.

« Tu as pensé à la tête que fera ta mère, quand elle saura ? Et à celle que feront tes sœurs ? Michèle, la jolie, la sainte, la virginale, pour savez ce qu'elle est, Michèle ? Elle est lesbienne !... Tu crois que je vais me gêner pour leur raconter ? Moi, j'en ai rien à faire. On peut me juger comme on voudra, je m'en fous complètement. Mais toi, ce n'est pas la même chose, tu tiens à ta réputation, à « ton rang » comme dit ta mère ! Tu veux garder ta belle image. Eh bien, je vais leur montrer à tous, comment elle est, ta belle image ! Tous, tu entends ? Les Haller, les autres vendeuses, ton épicier, et même le marchand de journaux, je vais leur expliquer qui tu es. Et si ton Thierry veut encore de toi, après ça, c'est qu'il ne sera pas dégoûté ! Tu le vois d'ici, en train d'annoncer votre mariage ? « Vous savez, j'épouse une demoiselle très bien qui n'a qu'un tout petit défaut : elle aime les filles ! »

Fredie, hors d'haleine, s'interrompt.

Michèle veut encore lui demander de se taire, mais cette fois aucun son ne franchit plus ses lèvres. Et Fredie toute à sa furie, se redresse, la toise, la défie :

« Surtout ne va pas croire que tu vas t'en tirer en disant que je mens ! Parce que j'ai tous tes petits mots. Je les ai gardés, bien précieusement, moi. Et bien cachés ! Tu te souviens de ce que tu disais ? « Mon amour », « ma petite adorée », « ma Fredie chérie »... Tu ne pourras pas dire que c'est moi qui les ai écrits ! J'en ferai des photocopies et j'en enverrai à tout le monde... »

« Qu'elle se taise, mon Dieu, qu'elle se taise », implore intérieurement Michèle, effarée par la force terrible, qu'elle sent lentement monter en elle. Elle ne peut plus entendre ces menaces, subir cette voix qui lui annonce qu'elle va lui retirer Thierry. Elle ne veut plus retomber dans cette ombre qui l'a happée, voilà onze ans et dont elle vient juste d'émerger...

Fredie vient de se rasseoir au bord de son divan. Elle ne regarde même plus Michèle et parle d'une petite voix douceâtre, perfide, en lui tournant le dos :

« Et si tout cela ne suffit pas, tu sais ce que je vais faire, encore ? Je vais appeler ton beau Thierry au téléphone et je vais lui expliquer, en y mettant tous les détails, comment tu aimes qu'on t'embrasse, je lui imiterai tes petits cris de folle quand on te... »

— Tais-toi !

Cette fois, Michèle a hurlé, tandis que ses deux mains se jetaient en avant vers Fredie.

Elle ne sait plus ce qu'elle fait. Elle ne sait pas que dans deux heures, c'est elle, hagarde, démente, comme morte qui va appeler Thierry au secours, tout confesser. Et elle ne sait pas que c'est Thierry lui-même qui va l'emmener à la police.

Pour l'instant il faut seulement que Fredie se taise, et il faut qu'elle cesse de tomber dans ce trou sans fond qui s'est ouvert au-dedans d'elle, il y a onze ans. D'un geste vif, elle a passé le lien de son imperméable au cou de Fredie. Elle l'a croisé dans le même mouvement. Et elle serre, elle serre, avec une force stupéfiante. En quelques secondes tout est fini. Fredie se tait.

La ceinture de l'imperméable glisse jusqu'au sol. Elle est noire.

VI

DERNIERE SOIREE

Antoine sourit dans son berceau. Anne regarde le revolver. Posé bien en évidence, sur son socle de bois ciré, au centre de sa bibliothèque, il est tout à fait insolite au milieu de ses centaines de livres, de ses bibelots romantiques, des cadres anciens d'où une bonne vingtaine de photos d'elle et des siens contemplent l'immense salon moderne où elle se tient.

A vingt ans, elle aurait jugé ridicule cette exhibition si manifestement phallique. Elle aurait accablé d'un mélange de mansuétude et de mépris l'homme-enfant chez qui elle l'aurait surprise.

Aujourd'hui, elle a... combien, au fait ? Vingt-huit ?... Non, vingt-neuf ans depuis une semaine : elle est née un 21 juillet et on est au soir du 28. Incroyable qu'elle ait pu hésiter sur son âge ! « Je suis vraiment au bout », murmure-t-elle tout haut, pour elle seule.

Elle lit la petite plaque de cuivre vissée sur le présentoir : « Colt six coups à double effet, modèle

1877. Copie. » Elle passe son doigt sur le canon long et sombre, la crosse de bois clair, dorée comme du citronnier. Elle glisse une main sous la détente et soulève l'arme de son support, la place à hauteur de ses yeux. C'est vrai, au fond, que c'est joli, cet objet bizarre, fignolé par des orfèvres de la mort. C'est bien la millième fois qu'elle le prend. Va-t-elle se souvenir de la manière dont il fonctionne ? Didier le lui a expliqué pourtant, lorsqu'il l'a disposé ici, effroyablement incongru dans ce décor de femme raffinée... Il l'a prévenue : « Tu sais, c'est un vrai, pas un jouet. C'est classé "arme de collection" mais ça tire des "22 Long Rifle" qui te tuent un type à deux cents mètres ! Si jamais tu es attaquée, un soir... Tu ris, mais c'est vrai, ça ! C'est toujours dans les quartiers chics que les loubards font leurs sales coups !... »

Sur le moment, elle a failli s'étouffer de rire : Elle, l'Anne inaltérablement élégante, calme, lointaine, faisant le coup de feu, Colt au poing, Annie du Far-West à Passy ! Comique.

Didier a pourtant tenu à lui montrer comment glisser les balles dans le barillet, pousser le cran de sûreté, armer le chien, viser, tirer... Et il a insisté pour qu'elle sache où il rangeait les munitions. Elle l'a écouté, patiemment. Lorsqu'il en a eu fini, elle l'a regardé avec une espèce d'incrédulité, comme si elle évoquait un geste irréel : « Comment peut-on arriver à tirer sur un homme ? » C'est lui, alors, qui a éclaté de rire : « Comment ? Mais en appuyant sur la détente, comme je viens de te le faire voir ! C'est vraiment pas difficile. »

DERNIÈRE SOIRÉE

Dire que c'est de ce type qu'elle est folle !...

Quatre ans de cela. Ce soir Anne ne rit pas en regardant l'acier bleu du Colt qu'elle vient de déposer sur son petit bureau de loupe d'orme. Elle relève les yeux, cherche du regard le tiroir où Didier a rangé les balles, s'en approche, l'ouvre. Sa main fouille parmi la dizaine d'objets hétéroclites que le temps y a mêlés, en vrac. Enfin ses doigts se referment sur la boîte de carton dur, carrée, l'extraient de l'ombre, la déposent à côté de l'arme, soulèvent le couvercle. Les balles y sont rangées, si serrées, qu'Anne doit s'y reprendre à plusieurs fois avant de parvenir à extraire la première, en glissant ses longs ongles carmins sous le petit bourrelet de la douille.

Elle reprend l'arme et, tout à coup, ses gestes n'hésitent plus. Ils accomplissent la leçon de Didier avec une précision étonnante, comme si Anne venait de la recevoir dix secondes auparavant.

Elle glisse une balle dans le barillet, puis, aussitôt une deuxième. Elle hésite un instant, puis se décide : elle ajoute quatre projectiles. Ainsi tous les logements du barillet sont chargés.

Avec sa main droite, elle saisit le revolver par la crosse, comme pour tirer. Instinctivement son index se pose sur la détente. L'arme est lourde. Elle s'aide de sa main gauche pour la tenir braquée, droit devant elle, à hauteur de sa poitrine. Elle s'approche du berceau d'Antoine...

Il n'a que trois mois, mais c'est déjà un vrai bébé, rose, rond, avec de grands yeux bleus attentifs, des fossettes aux coins du sourire. Il a perdu en quelques semaines son aspect de nouveau-né chafouin, rougeaud, fragile. Si fragile ! Lorsqu'Anne le prenait dans son lit, à la clinique, et que sa tête dodelinait d'un côté sur l'autre, elle avait toujours peur qu'il ne puisse jamais la redresser !

Maintenant Antoine est vraiment beau. Anne l'admire. Il est un peu rouge, ce soir, car la journée a été très chaude sur Paris. Et comme elle n'ouvre plus ses fenêtres ni ses rideaux depuis trois jours, il règne dans tout l'appartement une moiteur étouffante. Elle en est inconsciente. Elle ne cesse pas de frissonner de froid.

Elle regarde son fils qui vient de s'endormir. On discerne à peine son souffle tant il est léger. L'idée qu'il est atroce de vouloir arrêter cette petite vie déjà si ferme, ne l'effleure pas. Elle ne va pas tuer Antoine, elle va l'emmener avec elle. Il est à elle, né de son corps. Il en est juste séparé assez pour qu'elle puisse le prendre dans ses mains, l'élever à hauteur de son visage, le serrer contre sa poitrine. Déjà, lorsqu'elle l'enferme ainsi entre ses bras doucement repliés et ses seins qu'il écrase un peu, il redevient une part d'elle-même, comme lorsqu'il était dans son ventre. Puisqu'elle va s'en aller, comment pourrait-elle laisser derrière elle ce morceau de sa propre existence ? Ce serait un peu comme si elle ne se tuait qu'à moitié.

Au début, quand elle retournait l'idée de sa mort dans son esprit, elle croyait qu'elle n'avait pas le droit de livrer son fils au seul hasard pour apprendre à approvoiser cette vie qu'elle récusait pour elle-même. Elle se perdait en interrogations déchirantes. Devait-elle renoncer à mourir à seule fin de se garder pour lui ? Et si elle n'y parvenait pas, pouvait-elle décider, seule, de le priver de ce don qu'elle avait fait germer en elle, durant neuf mois ?

A force d'y réfléchir, elle a fini, une nuit, par comprendre que la vérité était, comme toujours, beaucoup plus simple que tous les sophismes des moralistes. Elle était évidente, éblouissante, indiscutable comme la lumière du soleil, la vérité ! Antoine était elle, elle était Antoine. Sans elle, il n'aurait pas eu d'existence ; sans elle il ne pouvait plus en avoir. Elle s'en allait, il était naturel qu'il s'en aille aussi...

... « En appuyant sur la détente ! C'est vraiment pas difficile... » a dit, naguère, Didier avec ce gros rire qui l'a glacée.

Elle abaisse le canon vers la tête du bébé et ferme les yeux.

Une clef tourne dans la serrure de la porte d'entrée, à quelques mètres d'elle...

Un flot de sang lui monte à la tête. D'un bond Anne est devant l'étagère, repose le Colt sur son socle, cache la boîte de balles dans la grande poche de sa jupe-tablier, passe machinalement les doigts dans ses cheveux épars, pense qu'elle doit avoir une tête d'épouvante, s'avance vers l'entrée. La porte s'ouvre. Didier entre.

« Toujours la même ! Tu n'avais pas fermé les verrous de sûreté... »

Elle bredouille : « Les verrous de sûreté ? » d'un air absolument stupide. A cette seconde, elle devrait être en train de mourir, et elle se sent comme égarée d'être vivante. La présence de Didier, les propos de Didier, Didier lui-même, lui semblent absurdes, incohérents. Comment Didier peut-il être ici ? C'est impossible. C'est justement parce qu'il est parti qu'Antoine et elle vont mourir...

Tu as dîné ?... »

Elle est stupéfiée par les mots qu'elle vient de s'entendre prononcer ! Qui est donc Anne ? Celle qui attend le moment où, de nouveau seule, elle ira reprendre le revolver encore chargé qui va enfin la libérer ? Ou bien celle qui reste niaisement plantée dans l'entrée et débite des phrases d'automate ?

« Oh là, là ! Mais c'est un four, chez toi ! » s'exclame Didier sans lui répondre.

Il traverse à grands pas le salon aux murs de laques blanches et beiges, noyé de pénombre, où l'on ne devine qu'à peine les silhouettes des canapés tendus de cuir crème, des fauteuils, des tables basses. Il va directement aux fenêtres : « Mais, ma pauvre Anne, tu es malade de rester ainsi, tout fermé, avec ce temps ! »

D'autorité, il saisit les manivelles qui actionnent rideaux et persiennes, remonte les unes, écarte les autres, ouvre à double battant les grandes baies vitrées. Il aspire une ample bouffée de l'air un peu plus frais que le soir accorde à la ville :

« Dis ce que tu veux, on respire tout de même mieux comme ça ! »

Anne cligne des yeux, éblouie. Elle est déroutée de découvrir qu'au dehors, le jour est encore éclatant. Elle doit être horrible.

« Excuse-moi, je ne t'attendais pas, balbutie-t-elle, je vais me donner un coup de peigne... »

— C'est vrai... Il me semble que tu es un peu pâlotte ce soir. Ça ne va pas ?...

Elle fuit vers sa chambre, la traverse, pénètre dans sa salle de bain de marbre vert, ferme la porte au verrou, tombe sur la petite chaise posée devant sa coiffeuse, découvre ses traits et a un sursaut de recul. Blême, hagarde, les lèvres si pâles qu'elle n'en a plus, les paupières gonflées, elle s'effraie. Alors, sans même qu'elle le veuille, ses mains commencent à virevolter parmi les flacons et les pots rangés devant elle, sur une dentelle d'Alençon ; elles saisissent des touffes de coton multicolore, versent laits, crèmes, toniques, make-ups, roses à joues et à lèvres, pinceaux, kleenex...

Fébrile, Anne n'est plus occupée que par ces gestes qui sont en train de lui rendre un visage où, lentement, elle se reconnaît.

La voix de son amie Florence traverse son esprit : « Un jour, lui a prédit celle-ci, tu seras aplatie devant ce type comme une malade ; tu seras prête à tout accepter simplement pour qu'il te sourie... »

Elle repousse la voix, elle repousse Florence, elle

repousse tout ce que l'on pourrait lui dire encore. Elle serre ses lèvres l'une sur l'autre pour y écraser le rouge qu'elle vient d'y étendre, achève le tracé au pinceau, sourit, pour voir, se dit qu'elle a vraiment le chic pour se maquiller, se retrouve, brosse ses boucles rousses qui ondulent joliment de ses tempes à sa nuque, sourit de nouveau, mais cette fois seulement pour elle-même. Elle est jolie.

Rien d'autre ne compte, Didier est là...

« Tu as dîné ? »

Cette fois, c'est lui qui a posé la question, en passant dans la salle à manger qu'Anne a tenu à installer dans une pièce séparée. Acajou, arbre d'intérieur, murs tendus de tissu greige, tableaux modernes, éclairage doux.

« Oui... Non... Enfin, pas vraiment, confesse Anne, embarrassée. Tu veux... »

— Toi, tu n'es pas raisonnable... Tu ne prends pas assez soin de toi !

— Tu sais... Toute seule...

— Toute seule ! Ce n'est pas une raison pour te sous-alimenter. Pense à ton fils, au moins.

— C'est aussi le tien.

— Evidemment... Ce n'est pas ce que je voulais dire...

Il se tait, gêné. Anne enchaîne :

— Sers-toi un verre. Je vais préparer le dîner.

Didier retrouve sa faconde :

— Eh bien, voilà une bonne idée ! J'ai roulé toute la journée et, pour dire vrai, je meurs de faim !... Tu sais ce que j'aimerais ? Un de tes civets de biche, en boîte, si tu en as encore en réserve. Avec le « Saint-Emilion » de ton oncle ce sera...

Son oncle... Des nuées d'images lèvent, dans la tête d'Anne où n'entre plus la voix de Didier : son « château » qui n'est qu'une grande demeure bourgeoise gardée par deux pins immenses mais qui est dans la famille depuis cinq siècles. Ses vignes, ses palombes, ses chais, son sourire doux mais inflexible de propriétaire bordelais. Quand il a su qu'elle avait épousé Didier, il lui a adressé une simple carte : « Ta tante et moi regrettons beaucoup de ne pas pouvoir recevoir ce jeune homme. Nous ne voulons pas, fût-ce par tradition, sembler cautionner cette mésalliance dont nous n'avons pas su te détourner. Nous te gardons notre affection et serons heureux de t'accueillir quand tu te seras séparée de lui. Crois, ma chère Anne... »

« Ce jeune homme... » Sur le moment la formule l'avait amusée ! Elle venait d'avoir vingt-quatre ans et Didier en avait trente-neuf. Un très vieux jeune homme ! Mais surtout un éternel gamin, malgré sa carrure de boxeur, ses cheveux bruns coupés très courts, son nez en bec d'aigle, ses joues creuses...

... La boîte de civet, qu'elle réchauffe au bain-marie, se met tout à coup à tressauter dans la casserole, devant elle. Elle prépare un plat, des assiettes, dresse le couvert, allume des bougies...

Ils sont à table. Didier mange d'un appétit d'ogre, Anne grignote. Elle croise ses jambes à les écraser l'une sur l'autre, se serre les mains, s'agite, se lève sans arrêt pour aller à la cuisine chercher un objet oublié : le poivre, l'eau, des toasts tièdes... Une seule question l'obsède, mais elle n'ose pas la formuler : qu'est-ce que Didier est revenu faire, ici, ce soir ?

Du fond du salon où elle l'a oublié, Antoine pleure. Anne court vers lui : « Excuse-moi, Didier... on me réclame ». Inimaginable : elle est gaie !

La bouche pleine, il a un geste pour signifier : je t'en prie, c'est bien naturel.

Anne prend Antoine dans ses bras. Il a faim, elle doit le changer. Elle l'emporte dans la chambre qu'elle lui a aménagé à côté de la sienne. L'angoisse insupportable qui lui écrase les épaules, la poitrine, depuis des jours, est toujours là, vigilante. Mais à remettre ses gestes, machinalement, dans ceux qu'elle a accomplis tant de fois depuis trois mois, elle l'atténue, la repousse, la cache au fond d'elle. Son esprit se fixe sur chacun de ses mouvements. Et c'est comme si, y prenant une partie de l'espace disponible, il contraignait son désespoir à se recroqueviller.

Et puis, une sorte d'instinct plus fort que tout jaillit malgré elle dans son cœur : Didier est là. Sa simple présence physique change toutes les couleurs de la vie.

Toiletté, changé, biberonné, talqué, embrassé, Antoine repose à nouveau au fond de son berceau, dans la douceur bleue de sa pièce. Anne a rejoint Didier au salon où il est allé s'asseoir dans un fauteuil, et regarde la télévision. Elle allume une lampe, dans un angle, rabat au trois-quarts les persiennes, ne laisse qu'une fenêtre entrouverte. Au-dehors le crépuscule sort tout doucement des recoins d'ombre sous le ciel qui s'orange vers l'Ouest.

« Didier, pourquoi es-tu là ? » demande Anne d'une voix blanche.

— Je te l'ai dit. J'arrive d'Amsterdam. J'ai roulé toute la journée...

— Et tu veux faire l'économie d'une chambre d'hôtel !

— Pas du tout ! Tu sais, les affaires marchent très fort en ce moment, je peux me permettre de faire des frais ! Non, je suis venu ici...

— Par habitude !

— Par inquiétude, si tu veux le savoir ! Oui, tu entends bien : inquiétude. Par affection, si tu préfères. J'ai voulu voir comment tu supportais le choc, si tu n'étais pas trop... abattue...

— Si je survivais à ta perte ?

— Ne te moque pas de moi, c'est trop facile. En vérité, je sais très bien que ce que je te fais, c'est plutôt moche... Je ne suis pas vraiment fier de moi... Mais, comprends-moi...

Tout en parlant il s'est relevé pour aller diminuer le son de la télé. Comme il a quitté sa veste, Anne voit battre sur sa hanche, accroché à sa ceinture par un gros mousqueton nickelé, son trousseau de clefs dont il ne se sépare jamais...

La première fois où elle a rencontré Didier, à Vence, au-dessus de Nice, dans la maison de Florence, c'est ce détail qu'elle a d'abord remarqué de lui. « Eh bien, vous, au moins, on ne peut pas dire que vous dissimulez vos sentiments ! » lui a-t-elle lancé. Il l'a considérée sans comprendre. Elle a désigné le trousseau : Vous avez vraiment autant de serrures ? ! » Elle s'est retournée vers Florence pour qu'il ne la voie pas pouffer de rire.

Narquoise, sûre de son charme, amusée de tout — et tout spécialement des travers des autres — volontiers insolente, follement drôle, elle était alors très fière de ce qu'elle appelait sa réussite. A vingt-quatre ans, après une année passée à New York, elle avait la responsabilité du service parisien de relations publiques d'une maison de couture italienne, célèbre dans le monde entier. Quatre assistantes — dont un assistant ! —, deux secrétaires, un bureau superbe à deux pas des Champs-Elysées. « Et tout cela, par moi-même, insistait-elle. Sans rien devoir ni à mon père, ni à un mec ! »

A dix-huit ans, elle était sortie pratiquement vierge du pensionnat où son père avait tenu à la faire élever à partir de l'âge de six ans. Elle avait eu, alors, une boulimie d'aventures quasiment sportives, choisissant comme dans un jeu, le garçon qui allait être son nouveau « test de la semaine ».

A New York, où elle était partie en stage, elle s'était crue amoureuse pour la première fois de sa vie. Un journaliste de trente ans, beau comme Gary Cooper dans les années 30 et intelligent comme Einstein à la fin de sa vie, quand il avait admis que jouer du violon était plus important que de noircir des pages de calcul ! Il s'appelait Larry, il était charmant, bien élevé, avait beaucoup plu au père d'Anne lorsqu'elle le lui avait présenté, au cours d'un déjeuner « Chez Pierre », devant Central Park.

Puis elle l'avait trouvé très vite sec, ennuyeux, pusillanime, comme tous les jeunes gens de son milieu. Elle le lui avait dit.

« Cela signifie-t-il que je doive attendre que vous me téléphoniez avant de vous redonner signe de vie ? » avait-il demandé sans perdre son sourire.

« C'est exactement cela, Larry, je vous rappellerai... » Adieu Larry !

En fait l'amour ne la passionnait pas vraiment. Elle s'était confirmé à elle-même ce qu'elle soupçonnait depuis son enfance — à savoir que ce mélange acide de distance hautaine et de sensualité bien tempérée qui était l'essence de son charme, mettait tous les hommes à ses pieds. Au passage, elle avait vérifié que sa sensualité fonctionnait normalement. « Mais tout de même, il n'y a pas de quoi délirer ! avait-elle confié à Florence. Comment peut-on être idiote au point de s'aliéner comme une malade pour un type ! »

Puis Didier était apparu, trois ans plus tard, alors que, se sentant capable de conquérir le monde, elle ne s'attardait plus à séduire aucun homme ! D'abord décontenancé par cette histoire de trousseau pendu à sa large ceinture (« Dans les poches, c'est trop lourd... Et puis, j'aime bien ! » expliquait-il), il avait vite contre-attaqué. Il avait un bagout farouche et jouait volontiers les aventuriers mystérieux quand on lui parlait de son passé. Lorsqu'il était reparti pour Nice où il vivait, deux heures plus tard, avec la bande d'amis hétéroclite montée cet après-midi-là chez Florence, Anne avait interrogé celle-ci : « Qui est ce type, exactement ? Tu le connais depuis longtemps ? »

— Pas du tout, c'est la première fois que je le vois ! Mais j'en ai entendu parler. On raconte des histoires incroyables à son sujet... Il doit être un peu mythomane.

— Si tout ce qu'il sous-entend est vrai, il a eu une vie bien remplie !

— Même s'il en invente la moitié, le reste suffit ! Ce n'est tout de même pas le genre d'homme qu'on trouve tous les matins sous son plateau de breakfast !...

Parachutiste à 18 ans, en Algérie, en 1958, Didier avait connu ensuite, à l'en croire, tous les coins chauds du monde. Et toujours dans une clandestinité qui interdisait de vérifier s'il fabulait ou, au contraire, sous-estimait la réalité. Cette vie de violence avait commencé avec le putsch d'Alger, l'OAS. Puis, tantôt mercenaire de gouvernements africains contestés, tantôt « entraîneur » de maquis de rebelles en Amérique Latine, technicien de l'insurrection armée, du trafic d'armes — et même de drogue en Thaïlande ou en Colombie ! — organisateur de milices privées pour propriétaire rural en Terre de Feu, homme de main d'émirs du pétrole, il avait, en tout cas, un don de conteur rare : il subjuguait ses auditoires par la saveur des détails, l'horreur ou l'humour des situations, quand il se laissait aller à évoquer un de ses souvenirs. Anne avait découvert son pouvoir ce premier dimanche, chez Florence. Voyant son regard s'allumer d'une flamme presque inquiétante à ses propres récits, elle avait admis qu'il « avait, en tout cas, le physique de l'emploi ».

Que c'était-il passé, par la suite ? Elle aurait été incapable d'en reconstituer tous les détails. Didier l'avait recherchée, revue. Il s'était épris d'elle d'une façon qu'elle n'avait jamais rencontrée auparavant. A la fois folle et charmante, enfantine et dominatrice, pleine de dévotion et d'exigeances... Il habitait Nice mais passait le plus clair de son temps en Maurienne où il organisait, pour des citadins en mal d'inconfort, des randonnées équestres dans les Alpes du Sud. Mais il était capable de rouler toute une nuit pour déposer une lettre d'amour ou un bouquet devant la porte d'Anne, boulevard Exelmans, à Paris, afin qu'elle le trouve au matin en sortant de chez elle. Et lui, était déjà reparti...

Amusée d'abord, attendrie très vite, elle avait fini par le garder chez elle, un jour, où elle l'avait trouvé devant son immeuble, à onze heures du soir, l'attendant depuis quatre heures de l'après-midi. « Ce matin, j'ai senti que je ne pourrais pas vivre cette journée sans vous voir. Alors je suis venu... »

— Mais il fallait me prévenir, me téléphoner, je serais rentrée plus...

— Surtout pas ! Il fallait que je vous attende et que vous surveniez à votre heure...

— Vous êtes vraiment un fou !
— Bien sûr ! Seuls les fous sont de vrais amants...

Le lendemain matin, lorsqu'elle s'était réveillée, Didier n'était déjà plus là. Mais elle s'était sentie imprégnée de son corps, comme elle ne l'avait jamais été d'aucun autre homme. Les souvenirs de cette nuit l'avaient poursuivie toute la journée, comme certains rêves qui semblent tellement réels qu'ils continuent à vous hanter durant l'éveil. Pas folle, pas décervelée — « aliénée » comme elle aimait alors à dire, mais rêveuse, habitée de désirs nouveaux qui surgissaient soudain en elle aux moments les plus inattendus !

Florence, à qui elle confiait tout, l'avait avertie : « Il t'a dit qu'il était marié ? Que sa femme avait une boutique à Nice ?... »

Didier s'en était expliqué sans le moindre trouble : « Je ne vous l'ai pas dit, Anne, parce que ce n'est plus vraiment ma femme. Plutôt une copine, une associée. Si vous me le demandez, je divorce demain ! »

Anne n'avait rien demandé. Il avait divorcé quand même, sans le lui dire !

Le malheur avait voulu qu'on soit en mai, que Florence ait décidé d'aller trois semaines dans sa maison de Vence et qu'Anne, qui adorait Paris en août, ait choisi de l'y rejoindre et d'y passer ses vacances. Elle y avait vu Didier chaque jour. Au moment de le quitter, elle n'avait pu se retenir de lui dire : « Viens vivre à Paris, avec moi. Je te veux tout le temps ! »

Il avait dit « oui », aussitôt, et le lendemain il était là. Pas pris au dépourvu du tout : il avait confié son ranch, en gérance, à un vieil ami ; et il allait se lancer dans une entreprise dont l'idée lui était venue durant l'hiver, l'organisation d'une chaîne de magasins de chaussures bon marché, importées d'Italie et de Yougoslavie, qui allait le rendre milliardaire en un an !

Discerner la réalité de l'imaginaire, chez cet homme qui mentait avec une sincérité absolue, étant impossible, Anne avait acquiescé. Tout ce qu'elle voulait, c'était l'avoir. Le retrouver, le soir, quand elle quittait son bureau. Elle s'était mise à moins sortir, à délaisser ses relations, ses amis. C'est alors que Florence avait dit, avec un sourire qui ressemblait à une crispation d'anxiété : « Un jour, tu accepteras n'importe quoi, simplement pour qu'il te sourie... »

— Moi ? Tu plaisantes...

— Tu sais bien que non !

— Florence, franchement, on croirait que tu ne sais pas qui je suis !

— Le sais-tu encore bien toi-même ?

Anne avait haussé les épaules et filé. Tout le monde fuit, à sa façon, sa vérité...

Le plus surprenant est que Didier avait réellement organisé son réseau de vente et que celui-ci avait, très vite, paru promettre de jolis profits !...

Sans plus chercher à comprendre le sens de ce

qu'elle vivait, Anne s'était laissé capturer par ce délice qu'elle éprouvait à être seule avec Didier, profiter de lui et, encore bien plus, s'y soumettre...

Anne, d'un geste sec éteint le poste. Debout devant Didier, elle est toujours belle et hautaine. Mais de minuscules rictus crispent son visage. Son sourire meurt sur un petit pli douloureux. Son menton frémit, par instant, malgré elle.

— Je te le demande à nouveau, Didier. Qu'es-tu venu faire ici, ce soir ?

Il cherche un faux-fuyant :

— Ecoute, Anne, sois raisonnable. Je t'ai déjà tout expliqué...

— Admets que je n'ai pas bien compris.

— Ce n'est pas ton genre !

— Ah non ? Et quel est mon genre, s'il te plaît ? D'être larguée par un « macho » avec un bébé de trois mois, juste un an après l'avoir épousé ?

— J'ai fait tout ce que j'ai pu, Anne...

— ... Mon genre, c'est de laisser filer mon mari avec une petite garce de dix-sept ans qui l'a mis sens dessus-dessous comme un amant sénile ?...

— Mais ce n'est pas ça... Enfin...

— Mon genre, c'est d'élever bien gentiment, toute seule, l'enfant que tu m'as fait il y a juste un an...

— C'est toi qui le voulais !

— Pour nous deux, salaud ! Pas pour moi toute seule. Pour te prouver que je t'...

Elle ne peut pas achever sa phrase. Des sanglots de fureur la garottent. Elle tombe en larmes dans un fauteuil. Didier est embarrassé comme un gosse pris en faute. Il va s'asseoir sur le bras de son siège, essaie de la prendre par les épaules :

— Calme-toi, voyons ! Ça ne te ressemble pas de pleurer ainsi. Il y a un mois, quand je t'ai expliqué ce qui m'arrivait, tu as eu l'air de l'accepter... Tu m'as même dit : « Mon pauvre Didier, nous n'y pouvons rien. C'est le destin... » Je t'assure, j'ai fait tout ce que j'ai pu. Mais cette gosse, je ne sais pas ce qu'elle a... Je pense à elle toutes les minutes. Je ne peux pas imaginer de ne pas la retrouver...

— Tu as bien réalisé qu'elle pourrait largement être ta fille ?

— Oui ! Et par moments, tiens... C'est bizarre ce que je vais te dire là — mais on a tellement l'habitude de tout se raconter, toi et moi... Par moment je me demande si ce n'est pas ça qui m'attache tellement à elle. Je l'aime aussi comme si elle était mon enfant !...

Anne se redresse, une gifle ne l'aurait pas cinglée plus sadiquement :

— Parce qu'Antoine ne l'est pas, peut-être...

— Mais si ! Ce n'est encore pas ce que je voulais dire... Décidément, ce soir...

— A la fin, vas-tu me dire...

Elle crie, tape de ses deux poings sur ses genoux, la tête inclinée en avant.

— ... ce que tu es venu faire ici, ce soir !

— La vérité c'est que je n'en sais rien, s'empêtre Didier... J'avais prévu de rouler jusqu'à Auxerre pour être demain midi à Nice... Et puis, en traversant

Paris, j'ai tout d'un coup eu envie de te revoir. De parler avec toi. C'est idiot, après ce que je t'ai fait, mais ça me faisait plaisir.

« Alors je suis venu. Après tout, on n'est pas encore divorcé et ici, c'est encore mon domicile... Mais ce n'est pas ça, la raison. J'ai eu envie de passer une dernière soirée avec toi...

Une dernière soirée ! C'est tellement odieux, qu'Anne en est assommée...

Machinalement elle relève les yeux et contemple sa bibliothèque. La moitié des bibelots précieux qui décorent ses travées de chêne cérusé, sont des souvenirs que son père lui a rapportés de ses voyages. Ils racontent au moins trois ou quatre tours du monde et les douze années où, de six ans à dix-huit ans, Anne a vécu atrocement seule dans son pensionnat pour jeunes filles du meilleur monde.

Son père... Le même genre que son oncle mais en plus carré. Le sourire plus franc, et les colères plus bruyantes. Et une force invincible pour imposer sa volonté. Dire qu'il l'aimait est au-dessous de la réalité, il l'adorait ! Mais il n'a jamais cédé aux innombrables supplications qu'elle lui a adressées, douze ans durant, pour qu'il la laisse venir vivre à la maison. « Je suis trop occupé. Et tu sais bien que ta mère... »

Sa mère était partie, un jour, quand Anne avait quatre ans, avec un Grec. Durant vingt ans Anne ne l'avait jamais revue. Puis elle était ressortie de sa nuit, et était revenue à Paris, toute seule, dans une demi-gêne, l'été même où Anne avait connu Didier. Depuis elle téléphonait souvent à sa fille, pour lui raconter sans fin, ses soucis d'argent et de santé. Anne l'avait revue quelques fois ; mais elle était si mal à l'aise en face de cette femme sans âge, hypocondriaque, agressive, qu'elle avait espacé le plus possible les entrevues. D'autant plus qu'il y avait Didier et que sa mère, rejoignant paradoxalement, sur ce point, le reste de la famille, lui était résolument hostile.

Toute son enfance, Anne n'avait vécu que dans l'éblouissement des visites de son père, ou des dimanches passés avec lui. Il avait un poste très important, à la tête d'une banque d'affaires, présidait plusieurs conseils d'administration, animait en sous-main un grand parti politique, des journaux. Lorsqu'il venait à la pension, on le recevait avec autant d'égards qu'un haut personnage officiel. « Est-ce que tu es ministre ? » lui avait-elle demandé un jour. Il avait ri : « Non, mais ce que je suis est beaucoup mieux : ça dure plus longtemps ! » Elle n'avait apprécié pleinement son ironie que beaucoup plus tard... A sa sortie de pension, il l'avait, tout un hiver, emmenée partout avec lui. Voyages fastueux à l'étranger où son nom ouvrait toutes les portes, soirées de galas à l'Opéra, bals de princesse, dîners, réceptions... Malgré tout, elle devait avouer que cette aisance qui l'avait, depuis, si bien servie dans sa carrière, c'était tout de même à cette période qu'elle la devait... Puis elle avait trouvé — toute seule ! — ce stage aux Etats-Unis, associé à la préparation d'un diplôme universitaire. Et elle avait tout réussi, en grande championne, comme elle gagnait le 100 mètres/haie à quinze ans, irrésistible et à peine essouflée à l'arrivée...

Bien entendu quand elle avait parlé de Didier à cet homme-là, il avait été révolté ! Les plus beaux partis du monde étaient à portée de sa main et elle choisissait ce... Il avait contre-attaqué aussitôt, pris ses renseignements : « Ce type est un vulgaire malfrat, il a fait de la prison dans au moins quatre pays du monde, on ne sait pas de quoi il vit, il... » « Il m'aime comme personne ne m'aimera jamais ! » avait seulement répliqué Anne. « Très bien, ma petite fille. Tu es majeure. Mais ne cherche jamais à me revoir tant que tu partageras sa vie. » Et il s'était refermé sur lui-même, comme un amant blessé. Même à la naissance d'Antoine, qu'elle lui avait fait annoncer, il ne s'était pas du tout manifesté...

« Pauvre papa, songe Anne, lui aussi a perdu sa vie, d'une certaine façon... »

La sienne, elle a su qu'elle était en train de la perdre dix mois plus tôt, un des premiers dimanches d'octobre. Deux jours plus tôt, sincèrement bouleversée, elle avait appris à Didier qu'elle était enceinte. Il avait manifesté la joie qui était de circonstance, mais son émotion semblait forcée. Anne avait revécu mille fois cette scène, en pensée, depuis, et elle avait fini par se l'avouer : Didier, ce jour-là, lui avait joué la comédie. Peut-être avait-il déjà rencontré la petite

Niçoise qui se l'était si bien approprié depuis ?... Deux jours plus tard, cependant, alors qu'ils dînaient dans sa chambre, il lui avait pour la première fois parlé de son père :

— Avec la position qu'il a, il doit connaître beaucoup de monde, obtenir ce qu'il veut des ministres, non ?

— Je n'ai jamais cherché à le savoir...

— Parce que justement, pour mon affaire, ce serait vraiment capital si je pouvais être autorisé à importer depuis...

— Didier ! Tu ne vas pas demander un service à cet homme qui n'a jamais voulu te connaître ! Qui n'a que du mépris pour toi, qui...

— Oh, oh, mais maintenant ce n'est plus la même chose, ma chérie ! Maintenant, je ne suis plus un gendre abhorré, je vais être le père de son petit-fils — ou de sa petite-fille, mais pour ce que j'en ai à faire, ça revient exactement au même !

— Mais tu es vraiment ignoble ! Tu n'a pas la moindre dignité, le moindre honneur...

Il s'était rebiffé, cynique :

— Eh là, fais attention à ce que tu dis ! Honneur, patrie, courage, héroïsme et toute la fanfare, je connais. J'ai déjà donné, ne confonds pas : je suis un spécialiste !

— Et tu oserais...

— Je vais me gêner ! Cette autorisation, je vais la lui demander moi-même si tu ne veux pas lui en parler...

Anne n'avait jamais su s'il avait tenté de réaliser

son plan. Le lendemain, devinant qu'il s'était laissé entraîner par les mots, Didier lui avait demandé de l'excuser. Elle y avait consenti, bien entendu. Mais si elle avait été honnête avec elle-même, elle aurait admis, dès ce moment, que Didier la quitterait un jour et qu'elle le savait déjà...

Hélas ! elle était toute habitée par ce bonheur unique, charnel et mental à la fois, incommunicable à un homme, de savoir son bébé en elle. Elle n'avait envie que de s'y abandonner. Et la présence de Didier était indispensable à l'euphorie de cet abandon...

Sa vie a changé, ensuite, en quelques mois, plus qu'en dix ans auparavant ! Elle a eu un congé d'un an, a commencé à ne plus sortir de chez elle que pour des promenades hygiéniques, comme imposées. Antoine est né. Elle a tenu à s'occuper de lui toute seule. Elle a bien ressenti une espèce d'immense lassitude, peu après son retour chez elle ; mais elle l'a jugée passagère et n'y a pas prêté attention. Depuis plus de six mois, d'ailleurs, elle n'était plus préoccupée que par deux pensées : son bébé et les absences de plus en plus fréquentes, de plus en plus longues, de Didier.

Finalement, c'est elle qui l'a contraint à avouer la vérité, après avoir découvert par hasard qu'il avait passé une semaine à Nice quand il lui avait dit aller à Bruxelles, Hambourg, Lausanne et Rome !

Elle lui a demandé de ne plus jamais revenir. Il a dit oui. Il est quand même réapparu cinq ou six fois. Pour une journée ou pour deux heures, sous prétexte de chercher un vêtement ou un dossier... Et Anne s'est enlisée dans cette absurdité de la passion : elle s'est découverte encore plus incapable de supporter son absence que d'accepter qu'il soit là.

Florence, devinant sa détresse, a cherché à lui venir en aide : « Anne, tu vas faire une vraie déprime ! Laisse-moi t'emmener chez... » Mais Anne n'a même pas voulu connaître le nom du médecin. « Je ne suis ni folle, ni obsédée, a-t-elle crié à son amie. Je suis malheureuse. C'est aussi con que ça, tu comprends ? J'aime un homme qui ne m'aime plus. Ce n'est pas original et ça fait vraiment midinette ! Mais ceux qui n'y sont pas passés ne... »

— Non, a répliqué Florence. Tu n'es pas malade d'amour, tu es malade d'abandon. Tu ne peux pas accepter qu'il te laisse tomber. Tu n'es malade que d'être seule ! Ecoute...

— Laisse-moi tranquille, tu ne pourras jamais me comprendre.

Elle a fui tout le monde, a vécu repliée chez elle, n'acceptant plus que les visites de la femme de ménage le matin. Et celle-ci a pris l'habitude de faire aussi ses courses, si bien qu'Anne n'est plus sortie.

Par instant, elle a eu des éclairs de lucidité :

« Je suis comme une droguée "en manque", se disait-elle alors. Moi, je suis en manque de Didier... »

Or, Didier est là, ce soir, et elle le hait. Elle vient de comprendre qu'elle n'a qu'un moyen d'en guérir : qu'il disparaisse, se volatilise, redevienne personne, inexistant comme avant qu'elle l'ait rencontré... Elle se retourne et le considère, toujours assis dans son fauteuil, contemplant de nouveau la télé.

S'il se levait, s'il venait vers elle, s'il la prenait dans ses bras, s'il lui disait que ce n'était qu'un cauchemar, qu'il est fini, que... La tête d'Anne chavire, un vertige la contraint à s'appuyer contre la bibliothèque. Didier ne l'a même pas regardée.

Il vient d'étouffer un bâillement. Il consulte sa montre, s'étire, s'extirpe du fauteuil.

— Je te laisse la télé ?

— Oui, dit Anne.

— Pardonne-moi, mais je vais me coucher. Je suis crevé. Et demain, je dois me lever à cinq heures, tu comprends ?

— Oui, dit Anne.

— Si ça ne te gêne pas, je repasserai à la fin du mois, prendre mes affaires... Si tu préfères, je peux envoyer quelqu'un. Enfin, je t'avertirai à temps. Tu es d'accord ?

— Oui, dit Anne.

Il passe dans la chambre avec un naturel parfait. Elle l'entend se déshabiller, tomber dans le lit.

— Tu ne te couches pas ? interroge-t-il d'une pièce à l'autre.

Anne ne dit rien.

Ses forces la lâchent. Debout, immobile, bras ballants, sans un bruit, elle pleure. Elle n'est plus rien, ne sait plus rien. Elle a peur. Elle voudrait hurler à l'aide... Elle va jusqu'au poste de téléphone installé dans la cuisine afin que Didier ne l'entende pas. Elle forme le numéro de son père. Il est absent jusqu'au 15 août... Elle appelle sa mère. Celle-ci se réveille en sursaut : « Anne, mais que t'arrive-t-il ? Tu as vu l'heure ? Tu es folle ! » « Maman, pardonne-moi, mais ça ne va pas, je... » « Je t'en supplie, ma petite fille, laisse-moi dormir ! J'ai souffert horriblement toute la journée, je suis épuisée... Je te rappellerai demain matin... »

Anne forme le numéro de Florence. Celle-ci décroche aussitôt : « Anne ? Qu'est-ce qu'il y a ? »

— Viens...

— Tout de suite ? !

— S'il te plaît...

— Ecoute... C'est-à-dire... Tu tombes vraiment mal...

Elle a un petit rire graveleux :

— Je ne suis pas seule, tu comprends ? Et, vraiment, tu n'es pas bien arrivée !... Tu ne m'en veux pas... Je...

La communication est coupée.

Anne se dirige vers sa chambre. Elle grelotte, comme en plein hiver. Elle suffoque. Elle se penche sur le lit où Didier dort à poings fermés. Elle frôle son épaule de sa main.

« Didier... Didier... »

Il se retourne, ouvre des yeux égarés, paraît soudain se souvenir de l'endroit où il est...

« Didier, je t'en prie... Ça ne va pas... Je... »

Il devient brusquement furieux :

— Je t'en supplie, laisse-moi dormir ! Couche-toi et dors, toi aussi, ça ira mieux ! Que veux-tu qu'on se dise de plus ? On ne va pas ressasser notre histoire toute la nuit... Tu es vraiment d'un égoïsme incroyable ! Je suis fatigué, moi, je travaille dur toute la journée... Tu sais pourtant bien que j'ai horreur d'être réveillé en plein sommeil !

Il se retourne en maugréant : « Et dire que je pensais te faire plaisir en venant ici... »

Elle est glacée. Debout près du lit, elle le regarde, incrédule, comme un étranger qu'elle verrait pour la première fois. Elle est calme. Elle a tout compris...

Elle regagne le salon doucement, prenant garde à ne pas faire de bruit, va prendre le Colt toujours armé, revient dans la chambre. Elle semble hésiter un instant, puis va fermer soigneusement la porte qui communique avec la pièce où dort Antoine. Elle revient au bord de son lit, braque l'arme vers la tête de Didier, le canon à trois centimètres de son front...

« En appuyant sur la détente ! C'est vraiment pas difficile... »

Elle appelle doucement : « Didier... Didier... »

Il entrouvre les yeux, la voit. Elle tire. Sa tête fait un bond terrible sur l'oreiller, comme s'il avait reçu un formidable coup de poing. Un filet de sang minuscule commence à couler sur son front. Anne pose le revolver au pied du lit. Didier est mort terrifié, c'est ce qu'elle voulait.

Dans la chambre voisine, Antoine se met à pleurer. Anne le rejoint, le rendort, et sort de son appartement. Il y a un poste de police à cent mètres de chez elle, c'est là qu'elle se rend.

Au moment où elle y pénètre, elle voit la voiture de Florence surgir en trombe sur le boulevard et stopper devant chez elle. La pauvre ! elle est tout de même venue...

« Vous regrettez votre geste, je suppose ? » demande le jeune officier de police, tout ému, qui vient de taper ses aveux.

Anne le regarde. « Pas encore », dit-elle seulement. A qui pourra-t-elle jamais expliquer ce qu'elle ressent ? Elle était au fond d'un tunnel, sans lumière, sans issue. Les parois ne cessaient plus de se rapprocher ; elles allaient l'écraser. La balle les a fait exploser comme une charge de dynamite. A présent, malgré le tribunal, malgré la prison qui l'attendent, il n'y a plus devant elle qu'un grand espace vide. Et libre.

VII

LE PARADOXE DE TAIGA

Taïga n'était pas une louve ordinaire. Taïga était née pour vivre chez les hommes.

Elle avait vu le jour au fin fond de la Lozère dans le seul élevage de son espèce qui existe en France. Mais le maître de cet endroit, inspiré par la passion qu'il portait à ces animaux, avait décidé de la garder près de lui afin qu'elle devienne la compagne de ses travaux et de ses rêves. Il avait donc retiré Taïga à sa mère alors qu'elle n'avait que quelques jours et avait entrepris de la nourrir au biberon lui-même.

Lorsque les yeux de Taïga se dessillèrent, sa première vision du monde fut ce visage d'homme. Conformément aux lois qui régissent les découvertes du premier âge (et qui valurent au célèbre Docteur Lorenz de devenir la « maman » d'une oie cendrée), elle tint aussitôt celui-ci pour sa mère.

Cette confusion des sentiments n'est pas extraordinaire, au demeurant. Elle fausse même bien souvent la vraie nature de nos amours.

Le cas de Taïga fut, à cet égard, exemplaire. Elle

prodigua à son « maître » une affection sincère. Mais ce fut une affection de louve.

Elle pouvait s'étendre à ses pieds et y demeurer durant des heures. Mais elle pouvait, tout aussi bien, lacérer rideaux et tapis, briser la vaisselle, gronder férocement à l'adresse d'un visiteur. L'amour sauvage n'est pas compatible avec la vie en société — tout du moins, pas avec la nôtre. Lorsque Taïga fut presque adulte, l'homme qui avait imaginé qu'elle partagerait son existence, dut se rendre à l'évidence : louve elle était, louve elle restait, louve elle devait vivre.

Il la reconduisit dans l'enclos où prospérait le reste de sa bande. Mais pour qu'elle s'habitue à ce nouvel environnement, il l'installa dans un petit parc séparé et lui choisit pour compagnon un jeune loup de son âge. Il supposait que tous deux ne tarderaient pas à s'accoupler et passeraient le reste de leur vie ensemble. Les loups sont, en effet, rigoureusement monogames et lorsqu'un couple s'est formé, il ne se sépare plus jamais.

Tel un père soucieux d'assurer par un « bon » mariage l'avenir de la fille qu'il chérit, l'éleveur de loups de la Lozère s'appliquait à garantir celui de Taïga.

Il ne pouvait imaginer qu'il venait, en réalité, de sceller pour elle le plus tragique des destins. Car il ignorait que le jeune compagnon qu'il lui avait donné, avait déjà fixé son choix sur une autre louve. Et que cette autre louve partageait la mystérieuse attirance qui les avait portés à se reconnaître parmi tous les autres fauves de leur meute.

Tout s'était joué dans leurs regards, leur odorat, peut-être grâce à quelque hormone inconnue transportée par le vent — et qui mériterait d'être recherchée, car ce pourrait bien être celle de nos coups de foudre ! Tous deux, en effet, avaient jusqu'alors grandi séparés par un grillage mais ne s'en étaient pas moins distingués parmi tous leurs compagnons.

Celui dont l'éleveur de loups avait voulu faire le « fiancé » de Taïga, non seulement resta indifférent à sa présence, mais donna bientôt tous les signes d'une morosité insurmontable. Il allait s'étendre des heures au pied de la clôture derrière laquelle la louve qu'il désirait faisait de même. Tous deux effleuraient leurs museaux à travers les mailles du grillage, se contemplaient sans fin comme deux amants en peine...

Le maître de Taïga comprit trop tard que l'on s'oppose en vain à la fatalité de la passion.

Le matin où il arriva dans son parc décidé à laisser le jeune loup rejoindre enfin son « élue », le spectacle qu'il découvrit lui navra le cœur. Taïga gisait morte au milieu de son enclos. La mélancolie du jeune loup s'était transformée dans la nuit en une fureur assassine. Taïga lui était soudain apparue pour ce qu'elle était, une intruse, la vraie barrière qui le séparait de la louve à laquelle il était destiné. Et il l'avait égorgée...

L'histoire funeste de Taïga, rapportée par un magazine [1] est remarquable parce qu'elle correspond exactement à l'un des trois cas de crimes passionnels définis chez les humains par les criminologues.

« On tue, disent-ils, d'abord celui qui trahit. Et alors la pulsion de meurtre est presque toujours associée à une tendance suicidaire majeure. » Sans l'infidèle, en effet, on n'a plus aucune raison de vivre : « Un seul être vous manque... »

« On tue, ajoutent-ils ensuite, le ou la rivale. » Jadis ce type de crime passionnel était plus spécifiquement masculin et connut même son code d'honneur. Mais aujourd'hui l'égalisation des sexes se fait, là aussi, ressentir. Les hommes ne se battent plus en duel mais les dames ont le revolver ou le fusil de chasse de plus en plus facile. « Ne désespérez pas une amante en furie... », prévenait déjà, toutefois, Racine dans Bajazet par la voix de sa terrible Roxane...

« On tue, enfin, l'être qui fait obstacle à la réalisation de la passion », concluent les spécialistes. Et c'est dans ce dernier schéma que s'inscrit le meurtre de Taïga. Dans sa sauvagerie originelle, il présente tous les caractères de ceux que commettent les humains. La passion obsessionnelle, la mélancolie profonde provoquée par sa frustration, la pulsion de violence, enfin, qui transforme brutalement l'amoureux languissant en criminel furibond. Et les influences de l'environnement sont aussi évidentes dans le

1. « France-Soir Magazine » du 31 mars 1981.

crime du loup que dans ceux des hommes. Dans ces derniers, l'intérêt matériel est rarement absent du conflit qui conduit à tuer. Mais il n'est que l'expression la plus courante, aujourd'hui, de la pression de la société — réduite à un grillage chez le loup.

On n'en est pas moins stupéfié : en 1984, la passion est toujours aussi meurtrière qu'en 1947 où Victor Hugo se penchait sur la mort de la Duchesse de Praslin, assassinée par son mari pour l'amour de la gouvernante de leurs enfants. Ce qu'il écrivait, alors, sur les ressorts psychologiques de ce genre de crime, pourrait être repris aujourd'hui sans qu'il soit utile d'y changer une virgule. Certes, il attribue aux conditions du mariage « bourgeois » de cette époque (« On s'épouse sans se connaître, les familles s'épousent, les terres s'épousent, les coffres-forts s'épousent... ») une responsabilité que l'on ne peut plus invoquer aujourd'hui. Mais lorsqu'il scrutait l'insondable nuit des âmes, qu'il décrivait l'élaboration comme inexorable du mouvement de rancœur, puis de haine, qui allait un jour déchaîner la mort, il avait déjà tout saisi !

Psychiatres, analystes, neurologues, criminologues, magistrats n'en savent guère plus, cent-trente ans après, sur l'essence du crime passionnel. Sauf la pression de la vie sociale n'est sûrement pas aussi déterminante que Victor Hugo le croyait.

Faut-il, alors, en chercher l'origine dans les pénombres de l'enfance ? Sans doute. Mais s'il n'est pas faux que les chagrins secrets qui ont pu blesser celle-ci, se retrouvent au cœur de ces délires mortels, il est encore plus vrai que tous ceux qui en ont souffert ne deviennent pas, Dieu merci, des meurtriers de l'amour perdu.

La seule vraie question que posent ces derniers est : pourquoi ceux-là et pas les autres ? Tout le monde reconnaît que ce mystère continue de nous dépasser et que seuls les auteurs dramatiques peuvent « feindre d'en être les organisateurs » .

La chimie du cerveau nous est de mieux en mieux connue. Mais l'alchimie des âmes déroute toujours notre intelligence. En 1984, tout aussi bien qu'au temps du Swann de Monsieur Proust, les poisons de la jalousie amoureuse restent aussi capables de pervertir même les esprits qui se croyaient les mieux prémunis contre eux.

Et l'on n'est pas plus avancé lorsque l'on a dit qu'au fond des êtres qui y succombent, on rencontre à coup sûr une angoisse aux proportions pathologiques. Car il reste à comprendre pourquoi le même degré de dépression enlève à la plupart de ceux qui en sont atteints, le seul goût de leur propre vie — et à quelques autres le besoin de supprimer celle d'autrui ....

En vérité les constats scientifiques de tous ceux qui ont vocation de se pencher sur ces questions, peuvent se ramener à deux remarques. L'une est fondamentale : en notre époque d'éducation, d'expérience, de liberté sexuelles, de dédramatisation de nos déchirements affectifs, de divorces faciles et de mariages à l'essai, chez certains êtres les jeux de l'amour trahi dérapent toujours aussi inexorablement sur les hasards de la mort violente. L'autre est anecdotique : la voiture est devenue une des armes favorites de ce type de criminel. On écrase, on tamponne, on pousse au ravin, comme jadis on empoisonnait ou on transperçait d'un coup de dague. Les hommes sont les plus portés à ce genre d'agression, mais ce n'est pas pour surprendre quand on sait à quel point un conducteur peut investir sa sexualité dans la puissance de son moteur. Et puis, il faut aussi se souvenir que les automobiles sont, de nos jours, beaucoup plus répandues que les épées damasquinées ou les recettes de la Voisin ....

Le terme même de « passionnel » est illusoire. Car la passion est avant tout le sel de la terre, l'élan du créateur aussi bien que l'émerveillement de l'amoureux. Sans elle la vie ne serait plus, très vite, que son propre crépuscule. Et il est aussi abusif de la confondre avec ces crimes que de prendre l'ombre pour la lumière. Le malheur est que toutes deux sont inséparables.

Ainsi, il faudra peut-être toujours qu'Othello étrangle Desdémone pour que Figaro puisse finir heureux en ménage . Tout banalement parce que la passion peut être tout aussi bien le charme que le poison de l'existence. Et, soyons francs, il est bien rare qu'elle ne soit pas l'un et l'autre... Cette dualité est la marque même de notre condition humaine, notre ligne brisée du cœur. La mort de Taïga suggère cependant un éclairage plus subtil.

Certes, il est aussi abusif d'attribuer aux animaux des sentiments par trop humains que de tirer des lois qui régissent leur société des règles transposables aux comportements de l'espèce humaine. Ethnologues, zoologues, psychologues, sociologues, éthologues, sont tous revenus de ces amalgames chimériques. Mais on commence cependant à admettre [1] que lorsque les analogies sont à ce poins troublantes, on se doit de les laisser nous interroger, de ne pas les rejeter sans y réfléchir. Et si l'on réfléchit à la mort de Taïga, on voit que son compagnon forcé n'est devenu son assassin que parce qu'il s'est trouvé dans une situation qui faisait à ce point violence à sa nature qu'elle en est devenue intolérable. Dans sa tête de loup une seule issue s'est présentée : tuer l'être qui incarnait à ses yeux l'obstacle à l'accomplissement de son destin, un destin sans doute inscrit jusque dans ses gènes...

Les criminels passionnels tuent-ils eux aussi parce que leur situation fait violence à leur nature ? Et serait-ce au nom d'une monogamie portée aux limites du fanatisme qu'ils élèveraient leur protestation meurtrière ? Et la monogamie serait-elle inscrite quelque part dans l'héritage lourd et mystérieux que nous ont légué les millénaires depuis les origines de notre espèce ? Est-elle enfouie au plus profond de notre cerveau le plus ancien, celui d'où partent précisément nos pulsions d'agressivité et de violence ?

---

1. Cf. Claude Lévy-Strauss : « Paroles données » in Histoire de l'Ethnologie, tome 1.

Il serait bien commode de pouvoir répondre tout uniment par l'affirmative à cette série de questions car on tiendrait alors la logique de ces crimes qui portent, pour le reste, toutes les marques de la plus odieuse absurdité : quoi de plus contradictoire, quoi de plus paradoxal aussi que le leitmotiv invoqué à longueur de prétoires par les accusés : « Je l'ai tué(e) parce que je l'aimais trop. » Faut-il même le dire : l'amour ne pourra jamais justifier la mort. Il en est l'exact contraire. En revanche, une pulsion irrésistible, imprimée en nous depuis nos origines les plus obscures pourrait, elle, sinon justifier, du moins éclairer l'acte criminel. En poussant jusqu'à ses dernières limites le « Paradoxe de Taïga » [1], on peut en effet se demander si ces criminels que personne, en fait, ne parvient à bien comprendre, n'expriment pas une protestation de notre « nature » la plus profonde contre la violence que lui inflige la polygamie. Bien sûr, nos mœurs modernes sont infiniment mieux accordées aux aléas des sentiments, aux fatals mouvements de la vie. Et les sociétés qui, d'une civilisation à l'autre, ont imposé l'indissolubilité du couple ne sont pas à citer en exemple : la cruauté de leurs contraintes a généré ses martyrs de la vertu qui n'ont certes rien à envier aux victimes des crimes passionnels des temps modernes. Par ailleurs, nos sociétés n'avancent plus que des raisons spirituelles et non plus des lois sociales pour affirmer que le

1. En science, un paradoxe désigne une hypothèse logique, pas encore vérifiée, mais dont l'avenir pourrait démontrer l'exactitude. C'est en ce sens qu'il faut comprendre notre expression. (N.d.A.)

couple se fonde dans l'éternité. Ceux qui ne partagent pas ces convictions morales ne peuvent donc être atteints par les foudres d'une « loi » morale qu'ils ne partagent pas. Si bien qu'en admettant qu'un « fauve monogame » sommeille au fond de nous, on est porté à considérer les crimes passionnels comme autant de survivances d'un âge archaïque dont notre évolution nous éloignerait toujours davantage.

Mais lorsque l'on entreprend de démêler les causes et les effets d'événements apparemment clairs, on ne s'en tire jamais à si bon compte. Un autre ordre de découvertes encore plus récentes que notre tendance à la polygamie universelle, inspire en effet d'autres réflexions. On ne cesse depuis un demi-siècle de vérifier l'importance, pour les humains, des premiers mois de vie, y compris de la vie prénatale, puis de l'enfance et de l'adolescence. Plus on comprend les lois de cette maturation, plus on accumule de découvertes sur les meilleures conditions de l'épanouissement de chaque être, et plus on s'aperçoit du rôle primordial, irremplaçable qu'y jouent les parents ; réciproquement, plus on démonte les mécanismes des déséquilibres de la jeunesse, plus la carence de ces derniers s'en avère responsable. La nécessité de leur présence commune, durable, s'affirme donc avec netteté.

Qu'est cette nécessité, sinon celle d'une certaine pérennité du couple — c'est-à-dire celle d'une monogamie à tout le moins limitée à l'âge d'une jeunesse, au temps qui sépare le nouveau-né du moment où il se sera affirmé un jeune adulte indépendant ? Ce que l'on commence à entrevoir sur la manière dont l'espèce humaine s'est réalisée jusqu'à être celle que nous constituons aujourd'hui, incite même à se demander si les modifications de cet environnement « familial » n'ont pas été, avec le temps, l'un des éléments qui ont déterminé toute notre évolution. Et même l'élément déterminant... Alors, ces crimes aberrants qui révoltent notre cœur autant qu'ils confondent notre raison, seraient-ils une sorte de cri d'alarme ? Et ceux qui le lancent n'auraient-ils pas simplement la singularité de posséder, plus fruste, plus farouche, plus incontrôlable que chez le reste de leurs semblables, cette espèce d'instinct de monogamie irrépressible qui coûta la vie à Taïga ? Et qui serait aussi inscrit dans la « nature » humaine ?

Voilà, bien sûr, des hypothèses qui vont à l'encontre de toutes les idées que nous professons sur ces sujets. Mais c'est précisément parce qu'elles heurtent nos nouveaux conformismes qu'elles méritent notre réflexion.

Il n'en reste pas moins, d'ailleurs, qu'en égorgeant Taïga, le loup qui ne voulait pas d'elle, s'est trompé de cible. Le véritable auteur de ses maux était l'homme qui la lui avait imposée en toute innocence.

Ceux qui tuent par amour se laissent-ils abuser, eux aussi ? Se trompent-ils de responsable ? Et, dans ce cas qui serait celui-ci ? L'ordre social ? moral ?

divin ? universel ? Ou bien, plus simplement, notre difficulté à discerner à temps l'être qui nous serait prédestiné ?

Et il y a tout de même une vérité à propos de ces meurtres : ils sont par-dessus tout des forfaits de l'égocentrisme. Les sept récits de ce livre le montrent — mais il n'est pas un seul de ces crimes où ce caractère ne se retrouve. Les assassins du cœur ne sont prisonniers que d'eux-mêmes. Leur vraie geôle est leur obsession. Et ce n'est pas un hasard si certains désespérés de l'amour ne trouvent, parfois, pas de meilleur moyen de survivre qu'en se consacrant aux malheurs des autres. En fait, ils choisissent, d'instinct, leur meilleur analgésique car il réconcilie l'amour avec la vie. Malheureusement, certains ne sont pas capables de ce sursaut et s'enferment dans leur souffrance avec une fascination masochiste. Et bien entendu suicidaire.

Un fait, en tout cas, est certain : c'est toujours parce que l'on a trop pleuré sur soi-même que l'on finit par tirer sur les autres.

AUFFARGIS — AVRIL 1984

TABLE DES MATIÈRES

EXTRAIT DE CATALOGUE

LA CONNAISSANCE DE SOI PAR LES TESTS
tara depré

GUIDE DE LA VIE INTERIEURE
tara depré

RESPIRER, PARLER, CHANTER
la voix, ses mystères, ses pouvoirs
marie-claude pfauwadel

QU'EST-CE QU'ELLE A MA GUEULE ?
enquête chez les immigrés
emmanuel lemieux

ÇA VA LA FAMILLE ?
martine fell

MES MOMES ET MOI, ET MOI, ET MOI
françoise morasso

DICTIONNAIRE DES ALIMENTS
ET DE LA NUTRITION
dr camille craplet - josette craplet-meunier

DICTIONNAIRE PRATIQUE
DES MEDECINES DOUCES
mark bricklin

COMMENT SE SOIGNER PAR LES PLANTES
henry errera

HOMEOPATHIE FACILE
dr john clarke

ACHEVÉ D'IMPRIMER
SUR LES PRESSES
DE L'IMPRIMERIE S.E.G.
33, RUE BÉRANGER
CHATILLON-SOUS-BAGNEUX

Numéro d'impression : 2699
Dépôt légal : mai 1984